POÉSIE DE LANGUE ANGLAISE
À PARAÎTRE

Robert Herrick, *Hespérides*, traduit et présenté par Gérard Gacon.
Hopkins, *Poésies complètes*, traduit par René Gallet.
John Keats, *Poésies*, choisies, traduites et présentées par Robert Davreu.
Stephen Spender, *Un regard*, poèmes traduits par Jean Migrenne et présentés par Henri Hell.

PATRICK HERSANT

Né en 1967.
Normalien. Actuellement lecteur à l'Université de Cambridge et à Queens' College. Travaille sur la poésie de Geoffrey Hill et prépare une anthologie des poèmes de Rupert Brooke.

CHRISTINE MICHEL

Née en 1953, professeur de lettres, a enseigné plusieurs années la littérature française contemporaine à l'Université de New England en Australie. Ses travaux ont porté principalement sur Joë Bousquet dont elle a notamment contribué à diffuser l'œuvre inédite. Elle a publié deux anthologies de poésie australienne, *Aspects de la poésie australienne* (Sud, domaine étranger, 1985), *Echange Sud-Poetry Australia* (South Head Press, 1988 et Sud, 1989).

KENNETH SLESSOR

VISITEURS DE LA TERRE

TRADUIT DE L'ANGLAIS (AUSTRALIE)
PAR PATRICK HERSANT
ET PRÉSENTÉ
PAR CHRISTINE MICHEL

ORPHÉE/LA DIFFÉRENCE

PRÉFACE

par Christine Michel

Le poète Kenneth Slessor écrivit de 1920 à 1940 avant un long silence de trente ans. Sa figure majeure émerge seule, ou presque, du vide poétique qui correspond, en Australie, à la première moitié du xxᵉ siècle. Entre le courant romantique du xixᵉ siècle et le modernisme qui se dessine à partir de 1937, aucun mouvement notable, à peine un climat. Quelques personnalités marquantes ressortent tels Christopher Brennan, Norman Lindsay et Hugh McRae qui mêlent l'héritage du symbolisme et l'acclimatation d'un néo-celtisme sur fond de journalisme littéraire naissant, curieux de littérature anglaise essentiellement.

En 1920, Slessor fait ses débuts à la fois comme journaliste et comme poète ; dans les deux domaines, son talent et la maîtrise dont il fait preuve sont d'emblée reconnus. La culture et la tradition européenne que Slessor avait connues dans sa famille le mettaient en accord avec l'idéal du cercle de Norman Lindsay qui, dans les années 20, souhaitait développer en Australie un climat artistique dégagé du pittoresque territorial et géographique. Conformément à son engagement, aux côtés de Lindsay et de ses trois fils, dans la revue *Visions* dont il ne partage cependant pas les exagérations, Slessor use dans ses premiers poèmes, qu'il rassemblera en 1924 sous le titre de *Thief of the Moon (Voleur de Lune)*, d'images exotiques et d'allusions culturelles contribuant à donner à sa création un caractère cosmopolite et recherché, loin de la couleur locale australienne. Parallèlement, sa recherche prosodique manifeste un goût de la virtuosité formelle et rythmique dont il ne se départira pas par la suite, même lorsqu'il abandonnera la rime. L'harmonie sonore et la mélodie poétique semblent aller de pair avec la discrétion et l'élégance lyrique qui caractérisent la retenue du ton. Ce trait demeure prédominant malgré la force des émotions ou la puissance des thèmes qu'il abordera ultérieurement. D'ailleurs, Slessor a éliminé, dès ce premier recueil, bon nombre de poèmes dont il jugeait trop faible la versification. Sa sévérité ira croissant, quoique fondée sur d'autres critères, dans les livres qui suivront. Elle explique, peut-être, en partie du moins, la brièveté de sa carrière poétique. Norman Lindsay, témoin privilégié des débuts de Slessor puis de son évolution, dit en 1964, dans une lettre à John Hetherington, que le Slessor de 1920 était « un parfait artisan de la langue poétique, doué d'un esprit subtil et sophistiqué, observant le spectacle que lui offrait la vie avec fascination (...) mais derrière tout cela, il combattait découragement et scepticisme à l'égard d'une quelconque foi en sa destinée de poète ». Pour Norman Lindsay, le jugement peut s'appliquer à l'ensemble de la carrière poétique de Slessor.

L'exigence de Slessor pouvait aller jusqu'à l'auto-dénigrement. Elle lui fera davantage encore épurer les choix de poèmes qu'il publiera après 1940, époque à laquelle une production proprement poétique ne sous-tendra plus son activité critique et journalistique et où il reconnaîtra avec la même honnête et douce-amère élégance que celle qui le conduisait dans sa première manière à ciseler la prosodie : « Je suis un volcan éteint. »

Les poèmes d'inspiration surtout maritime et urbaine de la deuxième phase (de 1925 à 1932 environ) se démarquent de l'influence de Lindsay. L'observation de la ville, la médita-tion rêveuse sur le port et l'océan s'allient à l'influence de T.S. Eliot, Ezra Pound, E.E. Cummings entre autres pour aboutir à la série de *The Atlas* dont fait partie *Sirènes (Mermaids)*, ou aux *Cinq visions du Capitaine Cook*, ainsi qu'à de brefs poèmes isolés : en particulier *Eaux, Hors du temps, Derniers trams*. La plupart de ces textes sont rassemblés d'une part dans le recueil collectif *Trio* qui associe Slessor, Harley Mathews et Colin Simpson et d'autre part dans *Cuckooz Contrey* illustré d'eaux fortes de Norman Lindsay, influence que Slessor ne renie pas mais qu'il associe à des apports nouveaux.

La troisième phase de la production poétique de Slessor est marquée par les deux élégies : *Cinq cloches*, variation sur la mort par noyade de son ami Joe Lynch emporté, présume-t-on, par une tempête au cours de la traversée du port de Sydney dans le ferry du soir, et *Mise en sable* qui résume en poésie l'expérience de la guerre que fit le journaliste Slessor en tant que correspondant de guerre officiel.

A partir de 1940, Slessor se contente de polir, en vue de rééditions, les poèmes déjà existants ou d'en expliquer la genèse, alors même que, paradoxalement, sa gloire ne fait que grandir. Le statut que lui a acquis son œuvre demeure incontesté, mais le personnage intrigue tant par son long et inexplicable silence final que par l'impuissance de ses émules, de ses admirateurs et de ses pairs à classer et définir cette œuvre singulière dans la littérature australienne contemporaine.

Par son éloignement géographique, l'Australie favorise tous les anachronismes : nulle référence en effet où inscrire une tradition ou une rupture sinon le vernis d'un victorianisme colonial et, plus récemment, d'un américanisme pan-océanien fermement posté sur les confins du monde et les arrière-goûts d'une histoire résolument moderne. Une identité mal assurée se revendique entre un conformisme agressif mais pittoresque et une conformité au temps. Certains artistes, presque toujours en rupture de ban même lorsqu'ils sont reconnus ou honorés, ouvrent une voie plutôt qu'ils ne la tracent ; semblables aux aventuriers et aux explorateurs, ils chiffrent le rêve d'origine avec des moyens dérisoires.

Entre l'ironie du sort et l'écrasante réalité se tient Slessor — romantique ou moderne ?... se demandent encore les poètes qu'il a précédés et parfois découverts —, raffiné comme un alexandrin et narquois comme un barbare, cartographe courtois et désabusé de ce nouveau monde austral mais toujours « les yeux fixés ailleurs »[1] qui « s'éblouissaient / De cieux et de mers aux antipodes »[2], nostalgique de l'éclat absurde, fantaisiste, éphémère, indélébilement inaugural de la beauté et de ses emblèmes. Le monde poétique de Slessor se crée et s'impose, se dérobe sans s'effacer au gré d'affleurements doux amers où le charme des mots et des visions réintroduit l'effervescence magique de l'inconnu, le foisonnement du mystère, sous l'afflux des figures précises et, tout approximatives qu'elles sont, en raison de leur multiplication, illuminantes.

Slessor n'est pas un visionnaire : pourtant, si c'est à l'immédiat qu'il nous convie, loin de « la confusion de rêves acharnés »[3], il demeure flou, porteur de confusions, « la terre n'est (...) qu'une trouble pensée / Qui parfois dérive comme vent »[3] à Springwood, quant aux

> « ...eaux noires de la brousse,
> Tandis que ces bulles anciennes font surface en un roc
> [plus ancien,
> Reviennent comme visages morts et pâles d'enfants morts,
> Regardant indevinés par-delà des portes à jamais
> [inconnues. »[4]

---

1. *Cinq visions du Capitaine Cook*, V, p. 83.
2. *Id., ibid.*
3. *Visiteurs de la terre*, p. 21.
4. *Palétuviers*, p. 29.

Dans cette indécision qui a partie liée avec la fluidité de l'eau et celle du temps, seule la mélodie du chant et du poème permet de retrouver l'éclat et les formes premières de la beauté tangible. Et Slessor, loin de se faire l'adepte d'un flou artistique, vilipende le poète qui ne serait que voleur de lune : « pourquoi gâcher ainsi toute beauté pour accroître ton éclat ? » [1]

Avant de parler en son propre nom, Slessor dissimule sous le désenchantement de Heine agonisant sa déception devant ce réel composé des figures humaines et des spectacles de la nature « tout faux, tout gâché » [2]. Informe, « tout cela restait » [2], n'était pas assez cru ou violent pour être beau alors que « les mots passaient » [2] et, ce faisant, quand bien même ils participent à la désagrégation générale par leur caractère transitoire, ils la dominent par la ligne mélodique que leur ordonnancement projette.

La poésie ainsi se fait vision mais plus encore action, elle impose à cet homme inconsistant qui « n'est guère qu'une giclée vers la lune, un jet de mépris » [2] la netteté et le dépouillement du concret, la pureté et la singularité du vrai. L'enjeu n'en est pas de capter l'idéal mais la matière où s'accomplit la beauté. Rapt inverse, le rêve d'origine absorbe l'homme (l'être de chair ou l'image qu'en donnent les fantasmagories et les arts), le dévore de son extrême densité ; mais pour élégant que soit le chant, c'est dans une dénégation de l'esthétisme gratuit que nous entraîne, avec une douceur élégiaque mais inflexible, Slessor au mépris des protestations d'un rassurant idéalisme :

> ...— il restait à voler
> Happé par ses propres dieux dans un ciel en chute,
> Et chantant son propre parcours — le sien, le sien qu'il
> [étreignait [2].

1. *Voleur de lune*, p. 31.
2. *Heine à Paris*, p. 41.

Il y a chez ce poète qu'on voudrait aimablement fantasque, presque anodin, romantique de salon, moderniste léger et comique (confondant le journaliste versificateur de circonstance et le poète indéfectiblement marginal et énigmatique qu'il est resté — particulièrement par son long silence de trente années... car la vie poétique de Slessor s'achève à trente-huit ans avec *Cinq cloches*) une fascination du soleil et de l'éveil :

> *...Ô soleil qui tues à force de vie,*
> *Et donnes souffle à toutes choses silencieuses — et toi,*
> *[Aube,*
> *Eveillez-moi comme la vieille terre, maintenez-moi*
> *[éveillé ! »* [1]

Ce poète de l'eau ne s'y abandonne pas, il y cherche de l'or du grand œuvre poétique. Là, l'alchimie des mots et des sens côtoie le silence et la folie dans l'appréhension incantatoire de l'éternité ' instantanée. Il met en œuvre une poétique de l'éclair et de l'éclat qui ne s'allie cependant pas à une pratique sérielle ou fragmentaire de l'écriture, d'où la perplexité des exégètes. Son secret : la connivence avec le temps ; non point avec sa représentation mais avec ce qui, dans le temps, captive : la capacité de métamorphose. Dans cet art du kaléidoscope, le poète a plus de liberté encore puisqu'il peut jouer avec les lois de l'illusion tout en les déjouant ; il n'est en apparence tributaire de rien, et alors que le temps est dramatique ambiguïté :

> *Hors de tout compte, hors de la lumière et de*
> *[l'obscurité,*
> *Sur le fil des Ici et des Maintenant morts,* [2]

---

1. *Aube d'hiver*, p. 49.
2. *Hors du temps, II*, p. 99.

et se piège à ses propres ruses :

> *Aveuglément, doucement, comme ferait une maîtresse,*
> *Il tient des rendez-vous avec un million d'années.* [1]

le poète se délecte de fables et, dans les fables, d'âge d'or :

> *L'instant rit avec moi, et nous le laissons partir,*
> *Penchés contre son reflux d'or* [1].

Mais Slessor ne force rien, favorise l'harmonie des sons et des formes : à côté des grandes élégies jubilatoires, vouées au temps et à l'eau, il laisse à des scènes de genre le soin d'historier le parcours des pulsions et des révoltes. Un esthétisme moins conventionnel qu'il ne paraît prend à sa charge — sous couleur de revendication d'une inspiration cosmopolite et « exotique », contraire en tout cas au pittoresque australianisant dont les mouvements des "bush balladists" [2] puis des "Jindyworoback" [2] se faisaient les porte-drapeaux — la part iconoclastique, revendicatrice de sang neuf, fût-il mauvais, le saccage d'un nouveau paganisme et d'une barbarie fondatrice ou inaugurale capable de délocaliser la poésie, d'arracher la beauté à son asphyxie, de faire de la littérature une aventure ou un grand jeu.

Si « la terre est à nouveau mûre pour Pan, Vies barbares et réjouissances païennes » [3], c'est que les réalités véritables sont de la nature des cartes des atlas baroques, et des images que Marco-Polo rapporte de ses voyages, du néo-celtisme de Norman Lindsay, propres à faire s'éveiller l'imagination, la panique et le ravissement mais surtout « l'embarras du penseur » [4] dans le déroutant et inlassable voyage que Slessor effectue à travers la baie de Sydney, voyage nocturne à l'instar de celui de Cook, voyage d'initiation et de dépouille-

---

1. *Hors du temps*, *II*, p. 99.
2. Datant, l'un du xixᵉ siècle, l'autre des années trente.
3. *Pan à la baie de Lane*, p. 27.
4. *Sirènes*, p. 91.

ment dont ne reste pour le poète, l'homme ordinaire, le voleur ou Alexandre Home, qu'un paysage sobre :

> *...et plus rien ne resta*
> *Que la canne à sucre et les étendues de sable*
> *Sauvage, les branches de palmiers, et le vol rouge sang*
> *Des engoulevents.* [1]

Couleurs élémentaires et violentes, couleurs de la voix d'un aveugle où domine le rouge feu ou le rouge sang, le nuage ardent, le chiffre du vrai, de la beauté à la fois superbe et saccagée qui répond au frémissement de l'« ardente patience ».

Chez Slessor aussi l'enjeu est de s'incarner dans le mouvement de la vie vraie, un désir démesuré qui n'a ni terme ni repos ; seules quelques extases, dont la mélancolie tempère l'âpreté, dissimulent le bouleversement :

> *...mais moi, qui regarde ce Port, je dois partir*
> *Sur des eaux plus étranges et moins claires, et me fondre*
> *Tout entier dans la chair* [2].

C'est bien là l'enjeu poétique, le bonheur ambigu et aliénant de la parole : celui de tout incarner ou d'insuffler à tout modelé une vie, sans se figer en aucune chair promise, de fait, à dégradation et, de fait aussi, fantomatique. Il s'agit là d'un pouvoir inverse de celui du temps dans un territoire qui est celui du temps que celui-ci détermine, cerne, ravage aussi : celui de l'instant et du désir :

> *Tel était le monde de l'instant ; et j'en faisais partie,*
> *Sans chair et sans âge, inaltérable, libéré.* [3]

avoue Slessor.

---

1. *Cinq visions du Capitaine Cook*, V, p.85.
2. *Eaux*, p. 95.
3. *Hors du temps*, III, p. 101.

Dès lors, nul besoin de se démasquer ; il est les êtres et les vies anciennes et futures, l'une « celle de Joe, / Mort il y a des années (...) dure cinq coups de cloches » [1] ; les autres, celle de Heine, du capitaine Dobbin, de Cook et de ses compagnons, durent le temps de la vision et du poème, le temps presque toujours d'une agonie, d'une incarnation qui est aussi une noyade, dans la logique de l'élément fluide et insaisissable du temps, eau pourtant pesante. Slessor, comme les figures qui apparaissent dans ses poèmes, « [n'a] plus ni corps ni visage » [1] mais est « Simplement (...) voix diaphane que l'air faisait vibrer, (...) Une voix qui, tout près de moi dans la brousse parlait » [1].

Cette voix n'est pas pour autant désincarnée, au contraire, c'est l'image seule et réduite à elle-même, dévitalisée donc, qui fixe l'instant « en instantanés de mort » [1], image photographique sur une plaque immuable où coule une couleur, fausse comme le temps et fluide comme lui qui dégrade et oblitère, ou image cinétique qui fixe en une agitation incohérente, un mouvement qui n'a pas de sens, une existence fantomatique d'hommes devenus des fantômes parce que déchus de leur fureur et de leur désir, de leur « rêve trop long » [1]. Mais ils sont devenus réels et vrais dans « le chas d'aiguille de l'instant » [2] alors qu'ils « s'agitent dans le néant, / Héros de films sans intrigue, / Morceaux de celluloïde imbécile » [2], comme le poète, entraînés vers leur figure charnelle, « entraînés par l'aspiration de la mer », dans la traversée du Port, revenant à la « vague et ancestrale obscurité du pays natal » [3] qui enchaîne à la chaise du conteur Home, chantre aveugle (Home — ...ou Homère ?) de visions absurdes et folles mais présentes et vives et, pour ce, légendaires.

---

1. *Cinq cloches*, p. 107-115.
2. *Derniers trams, II*, p. 105.
3. *Cinq visions du Capitaine Cook, V*, p. 85.

Le poète se tient miraculeusement entre ces deux arrache-ments, il ne se fond ni dans l'ordinaire ou le quotidien, ni dans la mort vague, en apparence « vide et blême comme la pensée d'un fou » [1] à l'écoute de la parole magique, à la poursuite des visions absurdes et belles auxquelles il donne vie et réalité et qui brassent les spectacles du monde, du trivial au grandiose, dans un enchantement grave et burlesque où, par faiblesse ou par routine, il pourrait bien n'entendre que « mots épars » [1] et tous avec lui. Mais le charme prend forme, loin d'être pur hétéroclite, selon les lois du souffle et du cœur, celles du poème qui permet de « dire ce qui t'a donné souffle » [1], de répondre à l'avertissement de l'intuition : « "Serais-tu assez fou pour quitter ce pays ?" cria mon cœur », non, il est comme Cook, sous hypnose du réel, du vrai de la beauté tangible, « les typhons importent peu » [2], bien au contraire, ils servent son dessein, et le monde grave et lourd participe à sa fantaisie, entre dans son jeu, mesure le temps, ensable et rassemble, pathétique et drôle, situe la condition des hommes, les « enrôle sur l'autre front » [3] que celui de la plate et fausse raison, vulnérables, insignifiants, mais doués d'une force inébranlable et dérisoire et

> *Jamais on n'a[ura] parlé, avant ni après (...)*
> *De marins s'évertuant à trouver la longitude*
> *D'un naufrage.*

ou plutôt si, dans tous les bruits de la terre et de la mer, entre les cadences du temps, dans le rythme du poème.

---

1. *Cinq cloches*, p. 111-115.
2. *Cinq visions du Capitaine Cook*, II, p. 75.
3. *Mise en sable*, p. 119.

VISITEURS DE LA TERRE

*Ces traductions sont dédiées
à Jacques d'Uva.*

P.H.

EARTH-VISITORS

To N.L.

There were strange riders once, came gusting down
Cloaked in dark furs, with faces grave and sweet,
And white as air. None knew them, they were strangers —
Princes gone feasting, barons with gipsy eyes
And names that rang like viols — perchance, who knows,
Kings of old Tartary, forgotten, swept from Asia,
Blown on raven chargers across the world,
For ever smiling sadly in their beards
   And stamping abruptly into courtyards at midnight.

Post-boys would run, lanterns hang frostily, horses fume,
The strangers wake the Inn. Men, staring outside
Past watery glass, thick panes, could watch them eat,
Dyed with gold vapours in the candleflame,
Clapping their gloves, and stuck with crusted stones,
Their garments foreign, their talk a strange tongue,
   But sweet as pineapple — it was Archdukes, they must
    be.

VISITEURS DE LA TERRE

Pour N.L.

Jadis s'en venaient des cavaliers étranges, rafalant de
  là-haut,
En de sombres fourrures ; grave et doux était leur
  visage
Et blanc comme l'air. Nul qui les connût, c'était des
  étrangers —
Princes partis festoyer, barons aux yeux bohémiens
Et noms résonnant comme viole — peut-être, qui sait,
Rois de l'antique Tartarie, oubliés, charriés depuis
  l'Asie,
Lancés à travers le monde sur destriers d'ébène,
Souriant à jamais tristement dans leur barbe
  Et forçant brusquement le passage des cours, à
  minuit.

Alors, postillons courant, lanternes suspendues em-
  buées, chevaux fumant,
Les étrangers réveillaient l'auberge. Les hommes,
  fixant du dehors
Leurs yeux par le verre humide, vitres épaisses, les
  regardaient manger,
Teintés de vapeurs d'or aux lueurs des chandelles,
Portant curieux habits, parlant étrange langue,
  Mais doux comme l'amande — c'était pour sûr des
  Archiducs.

19

In daylight, nothing ; only their prints remained .
Bitten in snow. They'd gone, no one knew where,
Or when, or by what road — no one could guess —
None but some sleepy girls, half tangled in dreams,
Mixing up miracle and desire ; laughing, at first,
Then staring with bright eyes at their beds, opening their
     lips,
Plucking a crushed gold feather in their fingers,
And laughing again, eyes closed. But one remembered,
Between strange kisses and cambric, in the dark,
That unearthly beard had lifted... « Your name, child ? »
« Sophia, sir — and what to call your Grace ? »
  'Like a bubble of gilt, he had laughed « Mercury ! »

It is long now since great daemons walked on earth,
Staining with wild radiance a country bed,
And leaving only a confusion of sharp dreams
To vex a farm-girl — that, and perhaps a feather,
Some thread of the Cloth of Gold, a scale of metal,
Caught in her hair. The unpastured Gods have gone,
They are above those fiery-coasted clouds
Floating like fins of stone in the burnt air,
And earth is only a troubled thought to them

Au grand jour, rien ; seules restaient leurs empreintes
Mordues dans la neige. Ils s'en étaient allés, nul qui sût
     où,
Ni quand, ni par quelle route — et comment deviner ? —
Nul que certaines filles somnolentes, embrouillées à
     demi dans leurs rêves,
Mêlant le désir au miracle ; riant d'abord,
Puis fixant des yeux brillants sur leurs lits, ouvrant les
     lèvres,
Cueillant dans leurs doigts une plume d'or froissée,
Et riant à nouveau, les yeux fermés. Mais l'une se
     rappelait,
Entre baisers étranges et mousseline, dans l'obscurité,
Cette barbe céleste s'était levée... « Ton nom, chère
     enfant ? »
« Sophia, Monsieur — et comment appeler votre
     Grandeur ? »
     Comme bulle de dorure, il avait ri « Mercure ! »

Il est loin le temps où de grands démons marchaient
     sur la terre,
Souillant un lit rustique d'une splendeur sauvage,
Et ne laissant que confusions de rêves acharnés
Pour troubler une fille de ferme — cela, et peut-être
     une plume
Quelque fil du drap d'Or, une écaille de métal,
Prise dans ses cheveux. Ils s'en sont allés, les Dieux
     sans pâturage,
Ils sont par-dessus ces nuages aux bordures ardentes
Flottant comme ailerons de pierre dans l'air brûlé,
Et la terre n'est pour eux qu'une trouble pensée

That sometimes drifts like wind across the bodies
  Of the sky's women.

There is one yet comes knocking in the night,
The drums of sweet conspiracy on the pane,
When darkness has arched his hands over the bush
And Springwood steams with dew, and the stars look down
On that one lonely chamber...
She is there suddenly, lit by no torch or moon,
But by the shining of her naked body.
Her breasts are berries broken in snow ; her hair
Blows in a gold rain over and over them.
She flings her kisses like warm guineas of love,
  And when she walks, the stars walk with her above.

She knocks. The door swings open, shuts again.
« Your name, child ? »
  A thousand birds cry « Venus ! »

Qui parfois dérive comme vent à travers le corps
   Des femmes du ciel.

Il en est une cependant qui vient la nuit frapper aux
      portes,
Sur la vitre tambourinage de douce conspiration,
Quand l'obscurité a voûté ses mains par-dessus la
      brousse,
Quand la rosée couvre Springwood, que les étoiles
      penchent leurs regards
Vers cette chambre solitaire...
Elle est là tout à coup, que n'éclairent ni torche ni lune,
Mais l'éclat seul de son corps nu.
Ses seins sont des baies brisées dans la neige ; ses
      cheveux
Par-dessus eux éclosent en pluie d'or.
Elle lance ses baisers comme chaudes guinées d'amour,
   Et quand elle marche, les étoiles là-haut marchent
      avec elle.

Elle frappe. La porte s'ouvre d'un coup, se referme.
« Ton nom, chère enfant ? »
   Mille oiseaux crient « Vénus ! »

PAN AT LANE COVE

Scaly with poison, bright with flame,
Great fungi steam beside the gate,
Run tentacles through flagstone cracks,
Or claw beyond, where meditate
Wet poplars on a pitchy lawn.
Some seignior of colonial fame
Has planted here a stone-cut faun
   Whose flute juts like a frozen flame.

O lonely faun, what songs are these
For skies where no Immortals hide ?
Why finger in this dour abode
Those Pan-pipes girdled at your side ?
Your Gods, and Hellas too, have passed,
Forsaken are the Cyclades,
And surely, faun, you are the last
   To pipe such ancient songs as these.

Yet, blow your stone-lipped flute and blow
Those red-and-silver pipes of Pan.
Cold stars are bubbling round the moon,
Which, like some golden Indiaman
Disgorged by waterspouts and blown

PAN À LA BAIE DE LANE

Couverts d'écailles venimeuses, éclatant de flamme,
De grands champignons exhalent leur vapeur près de la
    grille,
Parcourent de leurs tentacules les fissures des dalles,
Vont s'agripper plus loin, où méditent
Des peupliers humides sur un gazon poisseux.
Quelque seigneur réputé des colonies
A planté là ce faune, taillé dans la pierre,
    Et dont la flûte jaillit comme une flamme de glace.

Ô faune solitaire, quelles sont ces chansons
Dédiées à des cieux où ne se cache nul Immortel ?
Pourquoi jouer en ce séjour austère
De ces flûtes de Pan dont tu as ceint ton côté ?
Tes Dieux, la Grèce aussi, s'en sont allés,
Délaissées les Cyclades,
Et sans doute, faune, es-tu bien le dernier
    A jouer sur ta flûte de si vieilles chansons.

N'importe ! Souffle dans ta flûte aux lèvres de pierre,
    souffle
Dans ces pipeaux de Pan, rouges et argentés.
De froides étoiles font des bulles autour de la lune,
Qui, tel un cargo doré
Dégorgé par les syphons, et soufflé

Through heaven's archipelago,
Drives orange bows by clouds of stone...
    Blow, blow your flute, you stone boy, blow !

And, Chiron, pipe your centaurs out,
The night has looped a smoky scarf
Round campanili in the town,
And thrown a cloak about Clontarf.
Now earth is ripe for Pan again,
Barbaric ways and Paynim rout,
And revels of old Samian men.
    O Chiron, pipe your centaurs out.

This garden by the dark Lane Cove
Shall spark before thy music dies
With silver sandals ; all thy gods
Be conjured from Ionian skies.
Those poplars in a fluting-trice
They'll charm into an olive-grove
And dance a while in Paradise
    Like men of fire above Lane Cove.

Au travers de l'archipel céleste,
Trace des arcs orangés le long des nuages de pierre...
   Souffle, souffle dans ta flûte, garçon de pierre,
     souffle !

Et toi, Chiron, fais sortir tes centaures au son du
     pipeau,
La nuit a déroulé un voile vaporeux
Autour des clochers de la ville,
Et enveloppé Clontarf dans une pèlerine.
Voici la terre à nouveau mûre pour Pan,
Vies barbares et réjouissances païennes,
Orgies de vieux Samiens !
   Ô Chiron, fais sortir tes centaures au son du pipeau.

Ce jardin au bord de la sombre Baie de Lane
Scintillera avant que ne meure ta musique
Aux sandales d'argent ; tous tes dieux
Seront invoqués depuis leurs cieux ioniens.
Ces peupliers seront d'un souffle de leur flûte
Changés en oliviers, et pour quelques instants
Les dieux danseront au Paradis
   Comme des hommes en feu par-dessus la Baie de
     Lane.

MANGROVES

These black bush-waters, heavy with crusted boughs
  Like plumes above dead captains, wake the mind...
Uncounted kissing, unremembered vows,
  Nights long forgotten, moons too dark to find,
Or stars too cold... all quick things that have fled
  Whilst these old bubbles uprise in older stone,
Return like pale dead faces of children dead,
  Staring unfelt through doors for ever unknown.

O silent ones that drink these timeless pools,
  Eternal brothers, bending so deeply over,
Your branches tremble above my tears again...
  And even my songs are stolen from some old lover
Who cried beneath your leaves like other fools,
  While still they whisper « in vain... in vain... in
    vain... »

PALÉTUVIERS

Ces eaux noires de la brousse, lourdes de branches
    incrustées
    Comme plumes au-dessus des capitaines morts,
    éveillent la mémoire...
Baisers innombrables, vœux immémorés,
    Nuits oubliées depuis longtemps, lunes trop sombres
    pour être vues,
Ou trop froides étoiles... toutes choses rapides qui ont
    fui
    Tandis que ces bulles anciennes font surface en un
    roc plus ancien,
Reviennent comme visages morts et pâles d'enfants
    morts,
    Regardant indevinés par-delà des portes à jamais
    inconnues.

Êtres silencieux qui buvez à ces eaux hors du temps,
    Ô frères éternels, qui vous courbez si profondément,
Vos branches tremblent encore au-dessus de mes
    larmes... .
    Et mes chants mêmes sont volés à quelque amoureux
    d'autrefois
Qui comme d'autres fous a crié sous vos feuilles,
    Tandis que toujours elles soupirent « en vain... en
    vain... en vain ».

THIEF OF THE MOON

Thief of the moon, thou robber of old delight,
Thy charms have stolen the star-gold, quenched the moon —
Cold, cold are the birds that, bubbling out of night,
Cried once to my ears their unremembered tune —
Dark are those orchards, their leaves no longer shine,
No orange's gold is globed like moonrise there —
O thief of the earth's old loveliness, once mine,
   Why dost thou waste all beauty to make thee fair ?

Break, break thy strings, thou lutanist of earth,
Thy musics touch me not — let midnight cover
With pitchy seas those leaves of orange and lime,
I'll not repent. The world's no longer worth
One smile from thee, dear pirate of place and time,
   Thief of old loves that haunted once thy lover !

VOLEUR DE LUNE

Voleur de lune, ô voleur d'un délice ancien,
Tes charmes ont dérobé l'étoile d'or, éteint la lune —
Froids, froids sont les oiseaux qui, volant en bulles
     hors de la nuit,
Ont pleuré jadis à mon oreille leur air immémoré —
Sombres ces vergers, leurs feuilles ne brillent plus,
L'or des oranges n'y forme plus la sphère des lunes se
     levant —
Ô voleur de l'ancienne splendeur de la terre, toi qui fus
     à moi,
    Pourquoi gâcher ainsi toute beauté pour accroître
    ton éclat ?

Brise, brise tes cordes, luthiste de la terre,
Tes musiques ne me touchent point — et que minuit
     recouvre
De mers poisseuses ces feuilles d'orange et de tilleul,
Je n'aurai nul regret. Le monde ne vaut plus
Un sourire de toi, doux pirate du temps et des lieux,
    Voleur d'amours anciennes qui, jadis, hantèrent ton
    amant !

HEINE IN PARIS

Late : a cold smear of sunlight bathes the room ;
  The gilt lime of winter, a sun grown melancholy old,
Streams in the glass. Outside, ten thousand chimneys fume,
  Looping the weather-birds with rings of gold ;
The spires of Paris, pricked in an iron spume,
  Uprise like stars of water, and mail the sky.
Night comes : the wind is cold.

La Mouche has lit the candles, cleared up the mess.
  She is talking, this merry little girl, of the new clown,
Mercutio in red spots, and Miss Nellie, the Equine
    Princess,
  Who can ride three terrible horses upside-down...
« Mon dieu, quel cirque ! »... and Madame
    Stephanie's dress...
  « As true as I live »... the clear little voice trickles on,
All over the Circus, on and on, and all over the town.

Le soir : une froide tache de lumière baigne la pièce ;
   La chaux dorée de l'hiver, un soleil vieux de
      mélancolie,
Ruisselle dans la vitre. Dehors fument dix mille
      cheminées,
   Faisant autour des oiseaux-temps des anneaux d'or ;
Les clochers de Paris, percés dans une écume en fer,
   Se dressent comme des étoiles d'eau, et cuirassent le
      ciel.
La nuit vient : le vent est froid.

La Mouche vient d'allumer les chandelles, de mettre
      un peu d'ordre.
   Elle parle, joyeuse petite fille, du nouveau clown,
Mercutio tacheté de rouge, et de Miss Nellie, la
      Princesse Equestre,
   Qui peut, montée sur la tête, diriger trois chevaux
      terribles...
« *Mon dieu, quel cirque !* »... et la robe de Madame
      Stéphanie...
   « Aussi vrai que je respire »... la petite voix continue
      de couler,
Parle du cirque entier, goutte à goutte, et de la ville
      entière.

Now she has creaked downstairs. Heine is left alone,
  Knees hugged in bed, the drug purring in his brain,
And the windows turning blue. He can see some clouds
  being blown,
    Scraping their big, soft bellies on the pane :
« Take me, O Clouds ! » — but in a puff they've flown.
  So once they fled in Eighteen Twenty-Nine
From — Hamburg, was it ? — in a damp disdain...

Hamburg — those roofs of tulip-red, those floating trees,
  Those black masts clotting the air, and swart cigars,
And puffed old bankers panting along the quays,
  And Uncle Solomon shouting amongst the spars,
And Uncle Solomon's cargoes, coffee and cheese,
  And Uncle Solomon's face, like a copper moon,
And Uncle Solomon's daughter, and the stars, the stars.

O Hamburg and Amalie — the stars and dung —
  He remembered suddenly that night he stood below,
Dark in the street, with stinging heart and helpless tongue,
  And her face passed in the pane, like paper to and fro.
But in a thousand songs that song was never sung.

Elle descend, les marches grincent. Heine est laissé seul,
   Les genoux serrés dans le lit ; la drogue ronronne dans son cerveau,
Les fenêtres deviennent bleues. Il aperçoit quelques nuages poussés par le vent,
   Frottant sur la vitre leur ventre gros et doux :
« Emportez-moi, Nuages ! » — mais d'un souffle ils s'en sont allés.
   Ainsi avaient-ils fui en *Mil Huit Cent Vingt-Neuf*
De — Hambourg, n'est-ce pas ? — pleins d'humide mépris...

Hambourg — ces toits rouge-tulipe, ces arbres flottants,
   Ces mâts noirs figeant l'air, et des cigares bruns
Et de vieux banquiers essoufflés haletant le long des quais
   Et l'Oncle Salomon criant parmi les poteaux,
Et les chargements de l'Oncle Salomon, — fromage et café,
   Et le visage de l'Oncle Salomon, semblable à une lune de cuivre,
Et la fille de l'Oncle Salomon, et les étoiles, les étoiles.

Ô, Hambourg et Amalie — les étoiles et la fiente —,
   Soudain lui revenait cette nuit, il avait attendu en bas
Sombre dans la rue, cœur brûlant et langue impuissante,
   Et son visage aperçu dans la vitre, comme un papier que l'on agite.
Mais jamais mille chants ne chantèrent ce chant.

Amalie, Amalie, who was only a foaming of throught,
A thing thought of, and forgotten, long ago.

And Louise, Diana, and Jenny, and all those bright,
   Mad girls who had scrawled their names inside his mind —
All vanished, all gone ; and all of them forged in a night,
   Conspired of dreams, and leaving no dream behind,
Ungrateful for their dreaming — flight after flight
   Of musings wrapped in satin, fancies in silk,
   And a thousand thoughts of naked roses and milk,
By love and the moon designed.

But now it seemed that these were only one thought,
   One stone of Venus, cut with a hundred sides,
One girl revealed ten thousand times, and caught
   Ten thousand times from out those amorous tides.
Now she was gone. They were all gone, those girls that he
      had sought,
   All gone, or paunched in marriage, or crushed in graves,
Or promised for other men's brides.

And it was only a ghost's hair that had spilt,
   Fur of the night, in kissing dark and strange,
To choke his lips. And all of those worlds he's built,

Amalie, Amalie, simple écume de la pensée,
Chose à quoi l'on songe, chose oubliée depuis
     longtemps.

Et Louise, Diana, et Jenny, et toutes ces éclatantes
     Filles folles qui avaient griffonné leur nom dans sa
          mémoire —
Toutes disparues et parties, et toutes inventées en une
     nuit,
          Conspirées de rêves, sans laisser derrière elles aucun
               rêve,
          Qu'avoir été rêvées laissait indifférentes, vol après
               vol
          De rêveries enveloppées de satin, fantaisies de soie,
          Et mille pensées de roses nues, de lait,
Que forgèrent l'amour et la lune.

Or il semblait que toutes n'étaient qu'une seule pensée,
     Un rocher de Vénus, taillé sur cent côtés,
Une fille dix mille fois révélée, et prise
     Dix mille fois dans ces saisons d'amours.
Elle était partie à présent. Elles étaient toutes parties,
     ces filles qu'il avait recherchées
          Toutes parties, ou engrossées dans le mariage,
          écrasées sous la tombe,
Ou fiancées à d'autres hommes.

Et les cheveux d'un fantôme s'étaient simplement
     répandus,
     Fourrure de la nuit, en étranges et sombres baisers,
Étouffant ses lèvres. Et tous ces mondes qu'il avait
     bâtis,

The girls he'd conjured before his dreams took mange,
The rogues he'd stamped on, harlot, trollop, and jilt,
   The fools he'd blistered — all of them passed and
   forgotten ;
But that — that did not change.

Men crumbled, man lived on. In that animal's face,
   'Twas but a squirt aimed at the moon, to fling contempt.
Meyerbeer, Borne, and Klopstock vanished, but in their
   place
   New Klopstocks, Meyerbeers blown again, and Bornes
   undreamt,
Sprang up like fungi, and there remained no trace
   Of lashings past. Men, men he could flog for ever,
But man was still exempt.

That did not change — always the world remained,
   Breathing and sleeping ; loving and taking in love ;
Fighting and coupling ; life by the belly constrained,
   Stupid in roads of flesh ; eating, but never enough ;
Ravening, never to cease ; warring, but nothing gained ;
Babbling to silent Christs ; climbing to heavens of the brain
Unknown, unanswering, above.

Ces filles évoquées dans ses rêves quand ils n'étaient
     pas galeux,
Ces filles perdues qu'il avait piétinées, catins,
     coquettes, traînées,
   Les idiotes qu'il avait cloquées — toutes passées,
     oubliées ;
Mais cela — *cela* ne changeait pas.

Les hommes se désagrégeaient, l'homme continuait de
     vivre. Dans ce visage d'animal
   Il n'est guère qu'une giclée vers la lune, un jet de
     mépris.
Meyerbeer, Borne et Klopstock ont disparu, mais à
     leur place
   D'autres Klopstock, des Meyerbeer à nouveau
     lancés là, des Borne jamais rêvés
Ont surgi soudain comme champignons, et nulle trace
   Des amarres anciennes. Les hommes — les hommes
     il pouvait bien les flageller sans cesse,
Toujours l'homme restait là.

Cela ne changeait pas — il restait toujours le monde,
   Respirant et dormant ; aimant et s'emplissant
     d'amour ;
Se battant et s'accouplant ; la vie forcée par le ventre,
   Stupide en des routes de chair ; mangeant, mais sans
     relâche ;
Chassant, mais sans répit ; guerroyant, mais sans
     gain ;
   Bavardant avec des Christs silencieux ; montant aux
     paradis de la pensée
Inconnus, indifférents, là-haut.

All these remained, words passed. The paper he'd filled,
  Deep to the lips in bitter salt, with fury and tears,
No man remembered ; anger and fools were stilled
  In dust alike — and out of those roaring years,
What now was left of all the passion he'd spilled,
  The fire he'd struck ? A cadence or two of love,
  A song that had stroked men's ears.

All wrong, all wasted. Now, in this winter snow,
  In the black winds from Russia, and the printed mane of
  night,
Heine looked out, and gazed at the world below,
  Thick with old chemicals, breaking far out of sight
With ageless tides of man — ah, granite flow,
  Eternal, changeless flux of humanity,
Undying darkness and light !

Not treading those floods could save him — not striking
  stone,
  Not damning the world could serve — only to fly,
Careless of men' and their shouting — untouched — alone —
  Snatched by his own gods from a falling sky,

Tout cela restait, les mots passaient. Le papier qu'il
    avait empli,
  Un sel amer recouvrant ses lèvres, de fureur et de
    larmes,
Nul homme qui s'en souvînt ; la colère et les fous se
    calmaient
  Dans une identique poussière — après ces années
    rugissantes,
Que restait-il des flots de passion répandue,
  De ce feu qu'il avait allumé ? Une cadence ou deux
    d'amour,
Une chanson, douce à l'oreille des hommes.

Tout faux, tout gâché. Alors, dans cette neige d'hiver,
  Dans les vents noirs de Russie, et l'empreinte
    crinière du soir,
Heine regarda au-dehors, observa le monde en bas,
  Epaissi de drogues chimiques, s'étendant à perte de
    vue
En infinies marées de l'homme — ah, écoulement de
    granit,
  Flux éternel, inchangé de l'humanité,
Obscurité, lumière qui ne meurent pas !

Parcourir ces flots ne le sauverait pas — et frotter du
    silex,
  Maudire le monde n'aurait servi à rien — il restait à
    voler,
Insouciant des hommes et de leurs cris — intouché —
    seul —
  Happé par ses propres dieux dans un ciel en chute,

And singing his own way — clutching his own, his own,
  Blind to the world — yes, that was the road of Heine —
Up to the sun, a speck in the ether —

« Ha, now, Christ Jesus and Jehovah, I choose to die ! »

Et chantant son propre parcours — le sien, le sien qu'il
    étreignait ;
  Aveugle au monde — oui, tel était le parcours de
    Heine —
Jusqu'au soleil, solitaire, atome dans l'éther —

« *Ah, maintenant, Christ Jésus et Jéhovah, je choisis de
    mourir !* »

WINTER DAWN

At five I wake, rise, rub on the smoking pane
A port to see — water breathing in the air,
Boughs broken. The sun comes up in a golden stain,
Floats like a glassy sea-fruit. There is mist everywhere,
White and humid, and the Harbour is like plated stone,
Dull flakes of ice. One light drips out alone,
One bead of winter-red, smouldering in the steam,
Quietly over the roof-tops — another window
Touched with a crystal fire in the sun's gullies,
One lonely star of the morning, where no stars gleam.

Far away on the rim of this great misty cup,
The sun gilds the dead suburbs as he rises up,
Diamonds the wind-cocks, makes glitter the crusted spikes
On moss-drowned gables. Now the tiles drip scarlet-wet,
Swim like birds' paving-stones, and sunlight strikes
Their watery mirrors with a moister rivulet,
Acid and cold. Here lie those mummied Kings,

AUBE D'HIVER

Cinq heures ; je m'éveille, me lève, je frotte le carreau
    fumeux
Et j'aperçois un port — de l'eau respirant dans l'air,
Des branches brisées. Le soleil monte en tache d'or,
Flotte vitreux comme un fruit de mer. La brume
    couvre tout,
Blanche et humide, et le Port est de pierre blindée,
Épaisses écailles de glace. Une seule lumière tombe
    goutte à goutte
Une perle rouge-hiver, couvant dans la vapeur,
Calmement par-dessus les toits — une autre fenêtre
Teintée d'un feu de cristal dans les gouttières du soleil,
Une solitaire étoile du matin, où ne luit nulle étoile.

Au loin, sur le rebord de cette vaste coupe de brume,
Le soleil se levant couvre d'or les faubourgs immobiles,
De diamants les girouettes, fait scintiller les pointes
    incrustées
Des pignons inondés de mousse. A présent les tuiles
    perlent en gouttes écarlates,
Nagent comme pavés volants, et le soleil vient frapper
Leurs miroirs mouillés d'un filet plus humide,
Acide et froid. C'est ici que sont étendus ces rois
    momifiés,

Men sleeping in houses, embalmed in stony coffins,
Till the Last Trumpet calls their galleries up,
And the suburbs rise with distant murmurings.

O buried dolls, O men sleeping invisible there,
I stare above your mounds of stone, lean down,
Marooned and lonely in this bitter air,
And in one moment deny your frozen town,
Renounce your bodies — earth falls in clouds away,
Stones lose their meaning, substance is lost in clay,
Roofs fade, and that small smoking forgotten heap,
The city, dissolves to a shell of bricks and paper,
Empty, without purpose, a thing not comprehended,
A broken tomb, where ghosts unknown sleep.

And the least crystal weed, shaken with frost,
The furred herbs of silver, the daisies round-eyed and tart,
Painted in antic china, the smallest night-flower tossed
Like a bright penny on the lawn, stirs more my heart.
Strikes deeper this morning air, than mortal towers
Dried to a common blindness, fainter than flowers,
Fordone, extinguished, as the vapours break,

Hommes dormant dans les maisons, embaumés en
     cercueils de pierre,
Jusqu'à l'appel de la Dernière Trompette parmi leurs
     galeries,
Et l'éveil des faubourgs en murmures lointains.

Ô poupées enterrées, hommes qui dormez là invisibles,
J'observe au-dessus de vos buttes de pierre, je me
     penche,
Solitaire et délaissé dans l'air plein d'amertume,
Et en un seul moment je renie votre ville glacée,
J'abandonne vos corps — la terre s'affaisse en nuages,
Les rochers perdent sens, la substance se perd dans
     l'argile,
Les toits s'effacent, et ce fumant petit tas oublié,
La ville, se dissout en une coquille de brique et de
     papier,
Vide, sans but, chose incomprise,
Tombe brisée où dorment des fantômes inconnus.

Et le moindre brin de cristal, secoué de gelée,
L'herbe fourrure d'argent, les âpres pâquerettes aux
     yeux ronds,
Peintes sur l'antique porcelaine, la plus infime fleur de
     nuit agitée
Sur le gazon comme une pièce qui scintille, touchent
     mon cœur bien davantage...
Frappent plus vivement l'air du matin que les tours
     mortelles,
Desséchées en un commun aveuglement, plus ténues
     que les fleurs,
Épuisées, éteintes, comme vapeurs à la dérive,

And dead in the dawn. O Sun that kills with life,
And brings to breath all silent things — O Dawn,
Waken me with old earth, keep me awake !

Et mortes dans cette aube. Ô Soleil qui tues à force de
vie,
Et donnes souffle à toutes choses silencieuses — et toi,
Aube,
Éveillez-moi comme la vieille terre, maintenez-moi
éveillé !

THIEVES' KITCHEN

Good roaring pistol-boys, brave lads of gold,
Good roistering easy maids, blown cock-a-hoop
On floods of tavern-steam, I greet you ! Drunk
With wild Canary, drowned in wines of old,
I'll swear your round, red faces dive and swim
Like clouds of fire-fish in a waxen tide,
  And these are seas of smoke we thieves behold.

Yet I've a mind I know what arms enchain
With flesh my shoulders... aye, and what warm legs
Wind quickly into mine... 'tis no pale mermaid,
No water-wench that floats in a smoky main
Betwixt the tankard and my knees... in faith,
I know thee, Joan, and by the beard of God,
  I'll prove to-night thy mortal parts again !

Leap, leap, fair vagabonds, your lives are short...
Dance firelit in your cauldron-fumes, O thieves,

REPAIRE DE VOLEURS

Braves bandits rugissants, fiers garçons d'or,
Braves et tapageuses filles faciles, lancés en jubilant
Sur le flot des vapeurs de cabaret, je vous salue ! Ivres
Du vin sauvage des Canaries, noyés dans les vins de
    jadis,
Je fais serment que vos faces rondes et rouges plongent
    et nagent
Comme nuées de poissons-feu dans une marée de cire :
  Nous autres voleurs pouvons voir ces mers de
    fumée.

Mais pas si bête je sais quels bras enchaînent
De chair mes épaules... Oui, et quelles chaudes jambes
Vite s'enroulent autour des miennes... c'est pas une
    pâle sirène,
Pas une fille des eaux qui flotte dans un fumeux océan
Entre ma chope et mes genoux... Ma foi !
Je te connais, Jeanne, et par la barbe de Dieu,
  Je vais tâter de ce corps mortel, ce soir encore !

Sautez, sautez, beaux vagabonds, vos vies sont
    brèves...
Dansez au feu dans la vapeur des chaudrons, Ô
    voleurs,

Ram full your bellies with spiced food, gulp deep
Those goblets of thick ale — yea, feast and sport,
Ye Cyprian maids — lie with great, drunken rogues,
Jump by the fire — soon, soon your flesh must crawl
    And Tyburn flap with birds, long-necked and swart !

Bourrez bien vos ventres de plats épicés, et lampez
Ces gobelets de bière épaisse — oui, festoyez et riez,
Belles catins — couchez avec ces grands pendards
    ivres,
Bondissez près du feu — bientôt, bientôt votre chair
    rampera
  Et la potence sera battue d'oiseaux, d'ébène et au
    long cou !

UNDINE

In Undine's mirror the cutpurse found
Five candlesticks by magic drowned,
Like boughs of silver... and pale as death,
Biting his beard, till the rogue's own breath
Shook all their gourds of fire, he stopped,
Eyed the gilt baskets, gaped half-round...
  Then down to the floor his pistol dropped...

No sound in the dark rooms... the clank
Of metal and beam died fast... and flank
Pressed in strange fear to Undine's bed,
The robber stared long, and bent his head
To that soft wave... then hand on silk,
Plumbed the warm valley where nightly sank
  Undine the water-maid, caved in milk.

And over those pools, the rogue could smell
Rich essences globed and stoppered well
On Undine's table... and row by row,
Jars of green china foamed stiff with snow,
And crystal trays and bottles of stone
Bowed like black slaves to that ivory shell,
  The body of Undine... but Undine was gone.

ONDINE

Dans le miroir d'Ondine le voleur trouva
Cinq chandeliers flottant par quelque magie,
Comme rameaux d'argent... et plus pâle qu'un mort,
Se mordant la barbe, jusqu'à ce que son souffle même
Fasse vaciller leurs flammes, le bandit s'arrêta,
Observa les paniers dorés, regarda derrière lui....
    Alors il laissa sur le sol tomber son pistolet...

Pas un bruit dans les pièces obscures... le tintement
    fêlé
Du métal et sa lueur moururent aussitôt... et, le flanc
Appuyé dans une peur étrange contre le lit d'Ondine,
Le voleur fixa ses yeux dans le vide, et courba la tête
Vers cette douce vague... puis, sa main frôlant la soie,
Il sonda la chaude vallée où chaque nuit coulait
    Ondine fille des eaux, fondue dans le lait.

Et par-dessus ces lacs, il pouvait respirer
De riches essences dans leurs flacons scellés
Posés sur la table d'Ondine... et rang sur rang,
Des vases de porcelaine verte emplis d'écume de neige,
Des plateaux de cristal, des bouteilles de pierre,
Courbés comme des esclaves noirs vers cette coquille
    d'ivoire,
    Le corps d'Ondine... mais Ondine s'en était allée.

Only below the candle's gleam,
In one small casket of waxen cream
With sidelong eyes the thief could follow
That rosy trough, the printed hollow
Of Undine's finger... then out to the street
He sprawled and fled... but still on the beam
  His pistol waited for Undine's feet !

Ce n'est qu'à la lueur des chandelles,
Dans un petit coffret de crème, blanche comme cire,
Que d'un œil oblique le voleur put voir
Cette marque rosée, — le creux imprimé
Par le doigt d'Ondine... alors jusqu'à la rue
Il se traîna, s'enfuit... mais sur le plancher
  Son pistolet attendait toujours les pieds.d'Ondine !

CITY NIGHTFALL

Smoke upon smoke ; over the stone lips
Of chimneys bleeding, a darker fume descends.
Night, the old nun, in voiceless pity bends
   To kiss corruption, so fabulous her pity.

All drowns in night. Even the lazar drowns
In earth at last, and rises up afresh,
Married to dust with an Infanta's flesh —
   So night, like earth, receives this poisoned city,

Charging its air with beauty, coasting its lanterns
With mains of darkness, till the leprous clay
Dissolves, and pavements drift away,
   And there is only the quiet noise of planets feeding.

And those who chafe here, limed on the iron twigs,
No greater seem than sparrows, all their cries,
Their clockwork and their merchandise,
   Frolic of painted dolls. I pass unheeding.

VILLE AU CRÉPUSCULE

Fumée sur fumée ; par-dessus les lèvres de pierre
Des cheminées qui saignent, descend une vapeur plus
    noire.
La nuit, vieille nonne, pleine d'une pitié silencieuse se
    penche
    Pour embrasser la débauche — fabuleuse pitié !

Tout sombre dans la nuit. Le lépreux même sombre
Enfin dans la terre, et se lève à nouveau,
Uni à la poussière dans une chair d'Infante —
    Ainsi la nuit, comme la terre, accueille cette ville
    empoisonnée,

Emplissant l'air de beauté, bordant les réverbères
D'océans obscurs, jusqu'à la dissolution
De l'argile lépreuse, à la dérive des trottoirs,
    Et seul subsiste le calme bruit des planètes paissant.

Et ceux qui s'écorchent ici, englués aux rameaux de
    métal,
Paraissent des moineaux, et tous leurs cris,
Leurs mouvements d'horloge et leurs marchandises,
    Frétillements de poupées peintes. Indifférent je
    passe.

REALITIES

To the etchings of Norman Lindsay

Now the statues lean over each to each, and sing,
Gravely in warm plaster turning ; the hedges are dark.
The trees come suddenly to flower with moonlight,
The water-gardens to glassy fire, and the night, the night,
Breaks in a rain of stars. O, now the statues wake,
Poise on their leaden stems, and dive into the lake —
And the old Gardener, who has grown old with raking,
  Bends by his flickering candle, and hears the noise,
And is nodding his head at a music of copper shaking,
  And Mercury whispering to some little graven Boys.

And Venus with Venus is walking in a misty grove,
Their mouths breathless with great lies of Jove,

RÉALITÉS

Aux eaux-fortes de Norman Lindsay

C'est l'heure où les statues se penchent et s'observent,
et chantent,
Déplaçant gravement leurs corps de plâtre tiède ; les
haies sont obscures.
Aux rayons de la lune les arbres brusquement
bourgeonnent,
Les bassins du parc se couvrent d'un feu translucide, et
la nuit, la nuit,
Tombe en pluie d'étoiles. Ô les statues à présent
s'éveillent,
Oscillent sur leurs mollets de métal, et plongent dans le
lac —
Et le vieux Jardinier, qui toute une vie ratissa ces
allées,
  Somnole près de la chandelle vacillante, entend le
  bruit,
Et hoche la tête quand résonne la musique des cuivres,
  Ou quand Mercure adresse un murmure à de petits
  Garçons sculptés.

Et Vénus marche avec Vénus dans un bosquet
brumeux,
Racontant hors d'haleine les grands mensonges de
Jupiter,

And the green-silver moon flows quivering down their
    sides,
Till each is lined in light.
« And this Brass Tower ? » she said —
But a stone Faun, clawed to the branches overhead,
Could hold his breath no longer, downward slides,
And crashes in a storm of leaves. — O, look, the lake !
    O, the great dolphins from the fountain-rim,
And the rusty Tritons — and O, the branches break —
    A flute of ivory shines — it is Apollo come to swim !

Then the skies open with a light from no moon or star,
The dark terraces tremble, melt in a shower of petals ;
Flowers turn to faces ; faces, like small gold panes,
Are bodied with a mist of limbs — no dark remains,
Nor silence, but there is laughter like bells in air,
A rushing wind of music, torches, dancers everywhere,
And lovers no farther. It is not night nor day,
The world's tissue has utterly crumbled away,
Time is a crusty pond, and that old Mirror, Life,

Et la lune vert-argent coule et palpite à leurs côtés,
Bordant chaque silhouette de lumière.

   « Et cette Tour d'Airain ? » dit-elle —
Mais un Faune de pierre, qui s'agrippait aux branches
      là-haut,
Ne peut plus retenir son souffle, se laisse glisser vers le
      bas,
Et tombe dans une tempête de feuilles. — Ô, voyez, le
      lac !
   Ô les grands dauphins délaissant le rebord des
      fontaines,
Et les Tritons couverts de rouille — Ô les branches se
      brisent —
   L'éclat d'une flûte d'ivoire — c'est Apollon qui vient
      nager !

Alors une lumière — ni étoile ni lune — fait
      s'entrouvrir les cieux,
Les sombres terrasses tremblent, se confondent sous
      une ondée de pétales,
Les fleurs deviennent visages ; et ces visages, petites
      vitres d'or,
Se font un corps avec la brume — l'obscurité a disparu,
Le silence aussi ; il n'y a dans l'air que des rires,
      comme des cloches,
Partout un vent impétueux de musique, de flambeaux,
      de danseurs,
Et puis, tout près, des amoureux. Ce n'est pas le jour ni
      la nuit :
La texture du monde s'est entièrement dissipée,
Le Temps est un marais figé, et la Vie, vieux Miroir,

Has broken, and the ghosts of flesh are stirred
   With a new blood, the fluid of eternity,
And mouths that have never spoken, ears that have never
      heard,
   Eyes that have never seen, speak now, and hear, and
   • see.

And I, who have climbed in these unrooted boughs
 •   Behind the world, find substance there and flesh,
Thoughts more infrangible than windy vows,
Love that's more bodily, and kisses longer,
And Cythera lovelier, and the girls of moonlight stronger
   Than all earth's ladies, webbed in their bony mesh.
The statues dance, and the old Gardener is asleep,
And golden bodies tread the paths — O, happy shapes,
O, shining ones ! Could I for ever keep
Within your radiance, made absolute at last,
No more amongst earth's phantoms to be cast,
No more in the shadowy race of the world exist,
But, born into reality, remember Life
   As men see ghosts at midnight — so with me
Might all those aery textures, the world's mist,
   Melt into Beauty's actuality !

S'est brisée, et les fantômes de chair sont rendus à la
vie,
Pleins d'un sang nouveau, le fluide d'éternité,
Et des lèvres qui jamais n'ont parlé, des oreilles qui
jamais n'ont entendu,
Des yeux qui jamais n'ont pu voir, parlent à présent,
et entendent, et voient.

Et moi, qui ai grimpé à ces branches arrachées,
Au-delà du monde, je trouve soudain chair et
substance,
Des pensées plus infrangibles que vœux aux quatre
vents,
Un amour plus charnel, et des baisers plus longs,
Une Cythère plus douce, et des filles au clair de lune
plus fortes
Que toutes les dames de la terre, emmaillées dans un
tissu d'ivoire.
Les statues dansent, et le vieux Jardinier sommeille,
Et des corps dorés vont sur les chemins — Ô
bienheureuses,
Ô lumineuses formes ! Si je pouvais me tenir pour
toujours
Au creux de votre éclat, m'éprouver enfin absolu,
Éloigné à jamais des ombres de la terre,
Ne plus exister pour la fantomatique race du monde
Et naître enfin à la réalité, considérer la Vie
Comme un homme voit un spectre à minuit — alors,
pour moi,
Tous ces êtres aériens, ces brumes du monde,
Viendraient se mêler au vrai de la Beauté !

SLEEP

Do you give yourself to me utterly,
  Body and no-body, flesh and no-flesh,
Not as a fugitive, blindly or bitterly,
  But as a child might, with no other wish ?
Yes, utterly.

Then I shall bear you down my estuary,
Carry you and ferry you to burial mysteriously,
Take you and receive you,
Consume you, engulf you,
In the huge cave, my belly, lave you
With huger waves continually.

And you shall cling and clamber there
And slumber there, in that dumb chamber,
Beat with my blood's beat, hear my heart move
Blindly in bones that ride above you,
Delve in my flesh, dissolved and bedded,
Through viewless valves embodied so —

Till daylight, the expulsion and awakening,
  The riving and the driving forth,
Life with remorseless forceps beckoning —
  Pangs and betrayal of harsh birth.

SOMMEIL

Te rends-tu à moi tout entier,
   Corps et non-corps, chair et non-chair,
Non comme un fugitif, aveuglément ni amèrement,
   Mais comme ferait un enfant, sans nul autre désir ?
Oui, tout entier.

Alors je t'emporterai jusqu'à mon estuaire,
Pour t'embarquer, te conduire, t'ensevelir
     mystérieusement,
T'attendre, te prendre,
Te consumer et t'engouffrer,
Dans l'antre immense de mon ventre, te baigner
D'eaux plus immenses, continuellement.

Là tu pourras t'agripper et grimper,
Là t'endormir, dans cette chambre de silence,
Battre au battement de mon sang, entendre mon cœur
    en mouvement,
Aveuglément dans les os qui par-dessus toi s'avancent,
Creuser dans ma chair, dissous en ce repaire,
Au travers des valves aveugles incarnées ainsi —

Jusqu'au matin, expulsion de l'éveil,
   Éclatement, refoulement,
A l'appel de la vie forceps sans remords —
   Élancements et trahison d'âpre naissance.

FIVE VISIONS OF CAPTAIN COOK

I

Cook was a captain of the Admiralty
When sea-captains had the evil eye,
Or should have, what with beating krakens off
And casting nativities of ships ;
Cook was a captain of the powder-days
When captains, you might have said, if you had been
Fixed by their glittering stare, half-down the side,
Or gaping at them up companionways,
Were more like warlocks than a humble man —
And men were humble then who gazed at them,
Poor horn-eyed sailors, bullied by devils' fists
Of wind or water, or the want of both,
Childlike and trusting, filled with eager trust —
Cook was a captain of the sailing days
When sea-captains were kings like this,
Not cold executives of company-rules
Cracking their boilers for a dividend
Or bidding their engineers go wink

CINQ VISIONS DU CAPITAINE COOK

I

Cook était capitaine au long cours de l'Amirauté,
Au temps où les capitaines avaient des pouvoirs
       étranges
Et fort nécessaires : il fallait bien repousser les krakens
Et dresser l'horoscope des navires ;
Cook était capitaine au vieux temps de la poudre :
Alors les capitaines, quand ils vous fixaient
D'un œil étincelant, de haut en bas,
Ou même quand on les regardait amicalement,
Semblaient moins d'humbles hommes que des
       magiciens —
Humbles étaient les hommes qui portaient le regard sur
       eux,
Pauvres marins à l'œil bridé, que rudoyaient
       malignement
Le vent et l'eau, ou bien l'absence d'eau et de vent,
Puérils et confiants, pleins d'une avide confiance —
Cook était capitaine au vieux temps des voiliers :
Alors les capitaines avaient des allures de rois,
Et ne se souciaient pas des ordres des compagnies,
Comme ces capitaines qui pour un dividende font
       sauter les chaudières
Ou bien font s'épuiser à la tâche leurs ingénieurs,

At bells and telegraphs, so plates would hold
Another pound. Those captains drove their ships
By their own blood, no laws of schoolbook steam,
Till yards were sprung, and masts went overboard —
Daemons in periwigs, doling magic out,
Who read fair alphabets in stars
Where humbler men found but a mess of sparks,
Who steered their crews by mysteries
And strange, half-dreadful sortilege with books,
Used medicines that only gods could know
The sense of, but sailors drank
In simple faith. That was the captain
Cook was when he came to the Coral Sea
And chose a passage into the dark.

How many mariners had made that choice
Paused on the brink of mystery ! « Choose now ! »
The winds roared, blowing home, blowing home,
Over the Coral Sea. « Choose now ! » the trades
Cried once to Tasman, throwing him for choice
Their teeth or shoulders, and the Dutchman chose
The wind's way, turning north. « Choose, Bougainville ! »
The wind cried once, and Bougainville had heard
The voice of God, calling him prudently
Out of a dead lee shore, and chose the north.
The wind's way. So, too, Cook made choice,
Over the brink, into the devil's mouth,

Afin que le plateau des balances soutienne
Un poids plus grand. Et c'est avec leur sang,
Pas avec les lois de la vapeur, qu'ils faisaient avancer
leurs navires,
Parcouraient les milles, faisaient passer les mâts
par-dessus bord —
Démons portant perruque, maîtrisant la magie,
Déchiffrant le fabuleux alphabet des étoiles
Où le commun ne voyait qu'un amas d'étincelles,
Menant leur équipage à force de mystères,
Sortilèges étranges et terribles puisés dans leurs livres,
Usant de remèdes dont seul un dieu pouvait connaître
Les vertus, mais que les marins buvaient
Avec une foi inébranlable. Tel était le capitaine Cook
Lorsqu'il vint jusqu'à la mer de Corail
Et mit le cap sur les ténèbres.

Ce choix s'était offert à bien des capitaines,
Hésitant tout au bord du mystère. « Fais ton choix ! »
Rugissaient les vents qui soufflaient vers l'Europe,
Par-dessus la Mer de Corail. « Fais ton choix ! »
crièrent les alizés
A Tasman, lui proposant de choisir
Entre leurs dents et leurs épaules, et le Hollandais
choisit
La route du vent, et fit route vers le nord. « Choisis,
Bougainville ! »
Cria jadis le vent, et Bougainville avait entendu
La voix de Dieu, qui l'enjoignait de fuir
Une plage déserte, sous le vent, et il choisit le nord.
La route du vent. Ainsi Cook fit-il son choix,
Franchit les rives du mystère, vers la gueule du diable,

With four months' food, and sailors wild with dreams
Of English beer, the smoking barns of home.
So Cook made choice, so Cook sailed westabout,
So men write poems in Australia.

II

Flowers turned to stone ! Not all the botany
Of Joseph Banks, hung pensive in a porthole,
Could find the Latin for this loveliness,
Could put the Barrier Reef in a glass box
Tagged by the horrid Gorgon squint
Of horticulture. Stone turned to flowers
It seemed — you'd snap a crystal twig,
One petal even of the water-garden,
And have it dying like a cherry-bough.

They'd sailed all day outside a coral hedge,
And half the night. Cook sailed at night,
Let there be reefs a fathom from the keel
And empty charts. The sailors didn't ask,
Nor Joseph Banks. Who cared ? It was the spell
Of Cook that lulled them, bade them turn below,
Kick off their sea-boots, puff themselves to sleep,
Though there were more shoals outside
Than teeth in a shark's head. Cook snored loudest himself.

Avec des vivres pour quatre mois, et ses marins ivres
    de rêves
De bière anglaise, de cheminées fumant dans leur pays
    natal.
Ainsi Cook fit-il son choix, et mit le cap sur l'ouest :
Des hommes en Australie écrivent des poèmes.

II

Fleurs pétrifiées ! Toute la science botanique
De Joseph Banks, pensivement accoudé au hublot,
N'aurait pu tourner cette splendeur en latin,
Ni mettre un échantillon de la barrière de Corail dans
    une boîte
Étiquetée, figée par le regard de Gorgone louche
De l'horticulture. Rochers devenus fleurs,
Dont on pouvait, semblait-il, briser une branche de cristal,
Choisir un pétale parmi ces jardins de la mer
Et le voir mourir comme un rameau de cerisier.

Ils avaient navigué tout le jour, le long d'une haie de corail,
Et la moitié d'une nuit. Cook naviguait la nuit,
Sans souci des récifs qui menaçaient la quille,
Ni des cartes vierges. Les marins ne réclamaient rien,
Joseph Banks non plus. Que leur importait ? L'aura
De Cook les apaisait, leur faisait prendre leur quart de veille,
Déchausser leurs bottes, et s'endormir tranquilles,
Bien qu'il y eût dehors plus de bancs de corail
Que de crocs dans la gueule d'un requin. Cook ronflait
    le plus fort.

One day, a morning of light airs and calms,
They slid towards a reef that would have knifed
Their boards to mash, and murdered every man.
So close it sucked them, one wave shook their keel.
The next blew past the coral. Three officers,
In gilt and buttons, languidly on deck
Pointed their sextants at the sun. One yawned,
One held a pencil, one put eye to lens :
Three very peaceful English mariners
Taking their sights for longitude.
I've never heard
Of sailors aching for the longitude
Of shipwrecks before or since. It was the spell
Of Cook did this, the phylacteries of Cook.
Men who ride broomsticks with a mesmerist
Mock the typhoon. So, too, it was with Cook.

III

Two chronometers the captain had,
One by Arnold that ran like mad,
One by Kendal in a walnut case,
Poor devoted creature with a hangdog face.

Arnold always hurried with a crazed click-click
Dancing over Greenwich like a lunatic,
Kendal panted faithfully his watch-dog beat,
Climbing out of Yesterday with sticky little feet.

Un jour, par un matin où l'air et le calme étaient légers,
Ils glissèrent vers un récif qui aurait éventré
La coque largement, et tué l'équipage.
Il s'en fallut de si peu, qu'une vague ébranla la quille.
La suivante franchit le corail. Trois officiers,
En grand uniforme, paressaient sur le pont
Et pointaient leurs sextants vers le soleil. L'un bâillait,
L'autre tenait un crayon, le troisième regardait le ciel :
Trois marins anglais fort paisibles
Calculant leur longitude.
Jamais on n'a parlé, avant ni après eux,
De marins s'évertuant à trouver la longitude
D'un naufrage. C'était l'aura
De Cook qui voulait cela, les phylactères de Cook.
Enfourchez sous hypnose un manche à balai :
Les typhons importent peu. Avec Cook il en allait
    ainsi.

III

Le capitaine avait deux chronomètres :
Un Arnold qui frétillait sans cesse,
Et un Kendal dans sa boîte en noyer,
Petit être timide mais fort dévoué.

Le tic-tac d'Arnold était frénétique
Quand il sautillait par-dessus Greenwich.
Kendal s'essoufflait comme un petit chien,
Ses pieds préférant Hier à Demain.

Arnold choked with appetite to wolf up time,
Madly round the numerals his hands would climb,
His cogs rushed over and his wheels ran miles,
Dragging Captain Cook to the Sandwich Isles.

But Kendal dawdled in the tombstoned past,
With a sentimental prejudice to going fast,
And he thought very often of a haberdasher's door
And a yellow-haired boy who would knock no more.

All through the night-time, clock talked to clock,
In the captain's cabin, tock-tock-tock,
One ticked fast and one ticked slow,
And Time went over them a hundred years ago.

IV

Sometimes the god would fold his wings
And, stone of Caesars turned to flesh,
Talk of the most important things
That serious-minded midshipmen could wish,

Of plantains, and the lack of rum
Or spearing sea-cows — things like this
That hungry schoolboys, five days dumb,
In jolly-boats are wonted to discuss.

What midshipman would pause to mourn
The sun that beat about his ears,
Or curse the tide, if he could horn
His fists by tugging on those lumbering oars ?

Arnold s'étranglait, dévorait le temps,
Ses aiguilles filaient autour du cadran,
Ses rouages hâtaient la course des milles,
Entraînant Cook vers de lointaines îles.

Mais Kendal flânait, s'accrochait aux heures,
La rapidité lui faisait horreur ;
Il rêvait de la porte d'un mercier
Et d'un garçon blond venant y frapper.

Toute la nuit, dans la cabine de Cook,
Devisaient les pendules : tic-tac, tic-tac,
La première était lente et l'autre pressée ;
Depuis, sur elles, ont passé cent années.

IV

Le dieu parfois repliait ses ailes,
Muait en chair le marbre des Césars,
Et parlait de choses d'importance
Aux plus sérieux des aspirants ;

De bananes, du rhum qui venait à manquer,
De la chasse au morse — et de choses semblables
Que ces apprentis affamés, muets cinq jours sur sept,
Avaient coutume d'évoquer sur le canot du bord.

Quel officier irait se plaindre
Du soleil qui lui bat aux tempes,
Irait maudire la marée, s'il s'use les poignets
A tirer lourdement sur des rames ?

Let rum-tanned mariners prefer
To hug the weather-side of yards ;
« Cats to catch mice » before they purr,
Those were the captain's enigmatic words.

Here, in this jolly-boat they graced,
Were food and freedom, wind and storm,
While, fowling-piece across his waist,
Cook mapped the coast, with one eye cocked for game.

V

After the candles had gone out, and those
Who listened had gone out, and a last wave
Of chimney-haloes caked their smoky rings
Like fish-scales on the ceiling, a Yellow Sea
Of swimming circles, the old man,
Old Captain-in-the-Corner, drank his rum
With friendly gestures to four chairs. They stood
Empty, still warm from haunches, with rubbed nails
And leather glazed, like agèd serving-men
Feeding a king's delight, the sticky, drugged
Sweet agony of habitual anecdotes.
But these, his chairs, could bear an old man's tongue,
Sleep when he slept, be flattering when he woke,
And wink to hear the same eternal name
From lips new-dipped in rum.

C'est aux marins bruns comme le rhum
De préférer serrer le bord du vent ;
« Chat attrape souris » avant de ronronner ;
Mystérieuses paroles du capitaine.

Dans ce canot transfiguré
Il y avait vivres et liberté, vents et orages
Tandis que, le fusil barré sur la poitrine,
Cook dessinait la côte, gardant pour le gibier un œil
      toujours ouvert.

v

Quand les chandelles s'éteignaient, que s'en étaient
      allés
Les hommes qui l'écoutaient, et qu'une ultime vague
Des vapeurs de cheminée faisait avec les ronds de
      fumée
Comme des écailles au plafond, Mer Jaune
De cercles ballottés, le vieil homme,
Le vieux Capitaine-en-Coin, buvait son rhum
Et faisait à quatre chaises des signes d'amitié.
Vides, tièdes encore, les clous usés
Et le cuir lustré, elles étaient comme de vieux
      serviteurs
Veillant au bonheur d'un roi — l'agonie pâteuse,
Enivrante et douce, des anecdotes ressassées.
Les chaises du moins pouvaient supporter son discours,
Dormir quand il dormait, le flatter à son réveil,
Et feindre la surprise quand passait le nom sempiternel
Sur ses lèvres mouillées de rhum.

« Then Captain Cook,
I heard him, told them they could go
If so they chose, but he would get them back,
Dead or alive, he'd have them »,
The old man screeched, half-thinking to hear « Cook !
Cook again ! Cook ! » It's other cooks he'll need,
Cooks who can bake a dinner out of pence,
That's what he lives on, talks on, half-a-crown
A day, and sits there full of Cook.
Who'd do your cooking now, I'd like to ask,
If someone didn't grind her bones away ?
But that's the truth, six children and half-a-crown
A day, and a man gone daft with Cook.

That was his wife,
Elizabeth, a noble wife but brisk,
Who lived in a present full of kitchen-fumes
And had no past. He had not seen her
For seven years, being blind, and that of course
Was why he'd had to strike a deal with chairs,
Not knowing when those who chafed them had gone to
     sleep
Or stolen away. Darkness and empty chairs,
This was the port that Alexander Home
Had come to with his useless cutlass-wounds
And tales of Cook, and half-a-crown a day —

« Alors le Capitaine Cook,
Je l'ai bien entendu, leur a dit qu'ils pouvaient s'en
    aller
S'ils le voulaient, mais qu'il les rattraperait,
Morts ou vifs, qu'il les aurait ».
Le vieil homme glapissait, il lui semblait entendre
    « Cook !
Cook encore ! Cook ! » Mais ce dont il a besoin,
C'est un cuisinier qui prépare un dîner avec quelques
    sous,
C'est de cela qu'il vit, qu'il parle, une demi-couronne
Par jour, assis là, l'esprit tout plein de Cook.
Et je voudrais savoir : qui ferait tes repas à présent
Si l'on n'avait mis ses os en poussière ?
Mais telle était la vérité, six enfants et une demi-
    couronne
Par jour, et un homme perdant la raison pour Cook.

C'était sa femme,
Élisabeth, femme noble mais trop vive,
Qui vivait dans un présent empli de fumées de cuisine
Et n'avait nul passé. Sept années sans la voir,
Puisqu'il était aveugle : c'est pour cela, bien sûr,
Qu'il devisait avec des chaises,
Ignorant que leurs occupants étaient allés se coucher
Sans un bruit. Les ténèbres et les chaises vides,
Voilà le port où Alexandre Home
Avait abordé, plein d'inutiles blessures
Et d'histoires sur Cook, avec une demi-couronne par
    jour —

This was the creek he'd run his timbers to,
Where grateful countrymen repaid his wounds
At half-a-crown a day. Too good, too good,
This eloquent offering of birdcages
To gulls, and Greenwich Hospital to Cook,
Britannia's mission to the sea-fowl.

It was not blindness picked his flesh away,
Nor want of sight made penny-blank the eyes
Of Captain Home, but that he lived like this
In one place, and gazed elsewhere. His body moved
In Scotland, but his eyes were dazzle-full
Of skies and water farther round the world —
Air soaked with blue, so thick it dripped like snow
On spice-tree boughs, and water diamond-green,
Beaches wind-glittering whith crumbs of gilt,
And birds more scarlet than a duchy's seal
That had come whistling long ago, and far
Away. His body had gone back,
Here it sat drinking rum in Berwickshire,
But not his eyes — they were left floating there
Half-round the earth, blinking at beaches milked
By suck-mouth tides, foaming with ropes of bubbles
And huge half-moons of surf. Thus it had been
When Cook was carried on a sailor's back,
Vengeance in a cocked hat, to claim his price,

La crique où il avait dû jeter l'ancre,
Où son pays reconnaissant payait pour ses blessures
Une demi-couronne par jour. Trop bon, bien trop bon
D'offrir éloquemment des cages
Aux goélands, à Cook l'Hôpital de Greenwich,
Ultime mission de l'Angleterre à son oiseau des mers.

Mais ce qui déchirait sa chair n'était pas les ténèbres,
Ce n'est pas cette nuit-là qui rendait blancs les yeux
Du Capitaine Home : c'était de vivre ainsi
En un seul endroit, les yeux fixés ailleurs. Son corps se
        déplaçait
En Écosse, mais ses yeux s'éblouissaient
De cieux et de mers aux antipodes —
De l'air trempé de bleu, si épais qu'il dégouttait comme
        neige
Sur des rameaux de cannelle, de l'eau vert-diamant,
Des plages où palpitait sous le vent une poussière de
        dorures,
Et des oiseaux plus rouges que le sceau d'un duché,
Des oiseaux venus siffler il y a bien longtemps,
Dans un autre pays. Son corps était revenu,
Il était assis là, au comté de Berwick, buvant du rhum,
Mais ses yeux demeuraient là-bas — flottant
Autour de la terre, cillant le long des plages que
        suçaient
D'avides marées, se mêlant aux bulles d'écume
Sur un ressac en demi-lune. C'est ainsi
Que Cook fut transporté sur le dos d'un marin,
Vengeance retroussée sous la casquette pour exiger son
        dû,

A prince in barter for a longboat.
And then the trumpery springs of fate — a stone,
A musket-shot, a round of gunpowder,
And puzzled animals, killing they knew not what
Or why, but killing... the surge of goatish flanks
Armoured in feathers, like cruel birds :
Wild, childish faces, killing ; a moment seen,
Marines with crimson coats and puffs of smoke
Toppling face-down ; and a knife of English iron,
Forged aboard ship, that had been changed for pigs,
Given back to Cook between the shoulder-blades.
There he had dropped, and the old floundering sea,
The old, fumbling, witless lover-enemy,
Had taken his breath, last office of salt water.

Cook died. The body of Alexander Home
Flowed round the world and back again, with eyes
Marooned already, and came to English coasts,
The vague ancestral darkness of home,
Seeing them faintly through a glass of gold,
Dim fog-shapes, ghosted like the ribs of trees
Against his blazing waters and blue air.
But soon they faded, and there was nothing left,
Only the sugar-cane and the wild granaries
Of sand, and palm-trees and the flying blood
Of cardinal-birds ; and putting out one hand
Tremulously in the direction of the beach,
He felt a chair in Scotland. And sat down.

Un prince contre un canot.
Puis le destin avait égrené sa pacotille — un silex,
Un coup de mousquet, une cartouche de poudre,
Et des animaux éperdus, tuant à l'aveuglette,
Tuant sans bien savoir pourquoi... houle de flancs
      crasseux
Cuirassés de plumes, comme des oiseaux féroces :
Visages farouches et enfantins, emplis de mort ; et,
      aperçus un moment,
Des soldats en pèlerine pourpre, face contre terre
Parmi les fumées ; et un couteau d'acier anglais
Forgé à bord, troqué pour quelques cochons,
Se fichant entre les omoplates de Cook.
Il était tombé là, et le vieil océan cafouillant,
Le vieil ennemi-amant, stupide et maladroit,
Avait dans l'eau salée pris le souffle de Cook.

Cook mourut. Le corps d'Alexandre Home
Fit le tour du monde et revint, les yeux
A l'aventure, revint aux côtes d'Angleterre,
A la vague et ancestrale obscurité du pays natal,
A peine entr'aperçu par une vitre d'or,
Sombres silhouettes de brume, fantomatiques nervures
Dessinées sur l'air bleu des mers étincelantes.
Elles se dissipèrent bientôt, et plus rien ne resta
Que la canne à sucre et les étendues de sable
Sauvage, les branches des palmiers, et le vol rouge sang
Des engoulevents ; alors, tendant vers cette plage
Une main frémissante,
Il sentit une chaise en Écosse. Et s'assit.

MERMAIDS

[« A new and Accurat Map of the World, in two
Hemispheres, Western and Eastern, with the Heavens
and Elements, a Figure of the Spheare, the Eclipse of
the Sunne, the Eclipse of the Moon. » — *J. Speed,
1675.*]

Once Mermaids mocked your ships
With wet and scarlet lips
And fish-dark difficult hips, Conquistador ;
Then Ondines danced with Sirens on the shore,
Then from his cloudy stall, you heard the Kraken call,
And, mad with twisting flame, the Firedrake roar.

Such old-established Ladies
No mariner eyed askance,
But, coming on deck, would swivel his neck
To watch the darlings dance,
Or in the gulping dark of nights
Would cast his tranquil eyes
On singular kinds of Hermaphrodites
Without the least surprise.

SIRÈNES

[« Carte nouvelle et fort détaillée du Monde, en deux Hémisphères, d'Est et d'Ouest, avec Cieux et Astres, Dessin de la Sphère, Eclipse du Soleil, Eclipse de la Lune. » — J. Speed, 1675.]

Jadis, autour de vos navires, venaient rire les
     moqueuses sirènes
Aux lèvres de pourpre mouillé,
Aux hanches noires comme l'écaille, Conquistadors !
En ce temps-là Ondines et Sirènes dansaient sur le
     rivage ;
On entendait, depuis sa stalle nuageuse, gronder le
     Kraken,
Et rugir le dragon ivre parmi les flammes.

Des Dames si respectables
Étaient fort appréciées : sur le pont
Les marins se tordaient le cou
Pour les voir danser gracieuses
Ou bien, engloutis dans la nuit,
Ils posaient un regard tranquille
Sur de curieux Hermaphrodites :
Cela sans la moindre surprise.

Then portulano maps were scrolled
With compass-roses, green and gold,
That fired the stiff old Needle with their dyes
And wagged their petals over parchment skies.

Then seas were full of Dolphin's fins,
Full of swept bones and flying Jinns,
Beaches were filled with Anthropophagi
And Ancient Africa with Palanquins.

Then sailors, with a flaked and rice-pale flesh
Staring from maps in sweet and poisoned places,
Diced the old Skeleton afresh
In brigs no bigger than their moon-bunched faces.

Those well-known and respected Harpies
Dance no more on the shore to and fro ;
All that has ended long ago ;
Nor do they sing outside the captain's porthole,
A proceeding fiercely reprehended
By the governors of the P. & O.

Nor do they tumble in the sponges of the moon
For the benefit of tourists in the First Saloon,
Nor fork their foaming lily-fins below the side
On the ranges of the ale-clear tide.

En ce temps-là les cartes étaient enjolivées
De roses des vents, teintées de vert et d'or,
Qui faisaient s'enflammer la vieille Aiguille raide
Et déployaient leurs pétales sur des cieux en
      parchemin.

En ce temps-là on apercevait le dos des dauphins,
Des os blanchis par la mer et des Djinns bondissants,
Les plages étaient pleines d'Anthropophages
Et l'Ancienne Afrique de Palanquins.

En ce temps-là les marins, à la chair blême et écaillée,
Observant sur les cartes de douces îles empoisonnées
Jouaient aux dés l'Ossature du navire
Dans des bricks guère plus gros que leurs faces
      lunaires.

Ces fameuses Harpies, tenues en haute estime,
Ne longent plus jamais le rivage en dansant ;
Il y a bien longtemps que tout cela n'est plus ;
On ne les entend plus chanter à travers le hublot ;
Ces agissements sont sévèrement réprimandés
Par les directeurs de la P. & O. [1]

Elles ne dansent plus dans les éponges que fait la lune
Pour le plaisir des touristes du Premier Salon,
Ne courbent plus leurs écumantes nageoires de lys
Dans le creux des vagues blondes.

_____

1. Célèbre compagnie de navigation : *Peninsular & Oriental.*

And scientists now, with binocular-eyes,
Remark in a tone of complacent surprise :
« Those pisciform mammals — pure Spectres, I fear —
Must be Doctor Gerbrandus's Mermaids, my dear ! »

But before they can cause the philosopher trouble,
They are GONE *like the cracking of a bubble.*

Et quelque savant parfois, les apercevant dans son
    télescope,
Remarque, avec une surprise pleine de suffisance :
Ces mammifères pisciformes — de purs Spectres, sans
    doute —
Doivent être les *Sirènes* du Docteur Gerbrandus, mon
    cher !

Mais avant que s'éveille l'embarras du penseur,
Les voilà DISPARUES comme un éclat de bulle.

WATERS

This Water, like a sky that no one uses,
Air turned to stone, ridden by stars and birds
No longer, but with clouds of crystal swimming,
I'll not forget, nor men can lose, though words
Dissolve with music, gradually dimming.
So let them die ; whatever the mind loses,
Water remains, cables and bells remain,
Night comes, the sailors burn their riding-lamps,
And strangers, pitching on our graves their camps,
Will break through branches to the surf again.

Darkness comes down. The Harbour shakes its mane,
Glazed with a leaf of amber ; lights appear
Like thieves too early, dropping their swag by night,
Red, gold and green, down trap-doors glassy-clear,
And lanterns over Pinchgut float with light
Where they so long have lain.

EAUX

Cette eau, tel un ciel dont nul ne se sert plus,
Air pétrifié, que ne parcourent plus l'étoile
Ni l'oiseau, mais qui nage parmi des nuées de cristal,
Je ne l'oublierai pas. Et les hommes ne pourront la
      perdre, même si
Les mots se dissolvent à la musique, obscurcis peu à
      peu.
Laissez-les donc mourir ; qu'importe ce que perd
      l'esprit :
L'eau demeure, demeurent les câbles et les cloches.
La nuit vient, les marins brûlent leurs torches,
Et les étrangers, montant le camp par-dessus nos
      tombes,
Se feront à travers les branches un passage vers les
      brisants.

L'obscurité descend. Le Port secoue sa crinière,
Émaillé d'une feuille d'ambre ; des lumières
      apparaissent
Comme des voleurs trop matinaux, laissant la nuit
      tomber leurs baluchons
Rouges, dorés et verts, par des trappes vitreuses ;
Au-dessus de Pinchgut flottent des lanternes dans la
      lumière
Où elles sont si longtemps restées suspendues.

All this will last, but I who gaze must go
On water stranger and less clear, and melt
With flesh away ; and stars that I have felt,
And loved, shall shine for eyes I do not know.

Tout ceci durera, mais moi, qui regarde ce Port, je dois
    partir
Sur des eaux plus étranges et moins claires, et me
    fondre
Tout entier dans la chair ; et ces étoiles que j'ai
    ressenties,
Aimées, brilleront pour des yeux que je ne connais pas.

OUT OF TIME

I

I saw Time flowing like the hundred yachts
That fly behind the daylight, foxed with air ;
Or piercing, like the quince-bright, bitter slats
Of sun gone thrusting under Harbour's hair.

So Time, the wave, enfolds me in its bed,
Or Time, the bony knife, it runs me through.
« Skulker, take heart », I thought my own heart said.
« The flood, the blade, go by — Time flows, not you ! »

Vilely, continuously, stupidly,
Time takes me, drills me, drives through bone and vein,
So water bends the seaweeds in the sea,
The tide goes over, but the weeds remain.

Time, you must cry farewell, take up the track,
And leave this lovely moment at your back !

HORS DU TEMPS

I

J'ai vu le Temps couler comme les cent navires
Volant derrière le jour, décolorés par l'air ;
Ou transperçant, comme un coing, d'amères lamelles
De soleil, parties se jeter sous les cheveux du Port.

Ainsi le Temps, la vague, m'enveloppe dans son lit,
Ou le Temps, couteau d'os, passe au travers de moi.
« Lâche, du cœur », semblait dire mon cœur,
« Flot et couteau s'en vont — le Temps coule, toi
  non ! »

Vilement, continuellement, bêtement
Le temps me prend, me perce, parcourt mes os et mes
  veines ;
Ainsi l'eau courbe les algues dans la mer ;
La marée les recouvre, mais les algues demeurent.

Temps, tu dois dire adieu, reprendre ton sillage,
Et laisser ce moment charmant derrière toi !

Time leaves the lovely moment at his back,
Eager to quench and ripen, kiss or kill ;
To-morrow begs him, breathless for his lack,
Or beauty dead entreats him to be still.

His fate pursues him ; he must open doors,
Or close them, for that pale and faceless host
Whithout a flag, whose agony implores
Birth, to be flesh, or funeral, to be ghost.

Out of all reckoning, out of dark and light,
Over the edges of dead Nows and Heres,
Blindly and softly, as a mistress might,
He keeps appointments with a million years.

I and the moment laugh, and let him go,
Leaning against his golden undertow.

Leaning against the golden undertow,
Backward, I saw the birds begin to climb
With bodies hailstone-clear, and shadows flow,
Fixed in a sweet meniscus, out of Time,

Out of the torrent, like the fainter land
Lensed in a bubble's ghostly camera,

Le Temps laisse ce moment charmant derrière lui,
Désireux d'apaiser, de mûrir, embrasser ou tuer ;
Demain le réclame, se meurt de son absence,
Ou bien la beauté morte l'engage à l'immobilité.

Son destin le poursuit ; il doit ouvrir les portes,
Ou les fermer, pour cette pâle armée sans visage,
Sans drapeau, dont la souffrance supplie
La naissance d'être chair, et les obsèques, fantôme.

Hors de tout compte, hors de la lumière et de
     l'obscurité,
Sur le fil des Ici et des Maintenant morts,
Aveuglément, doucement, comme ferait une maîtresse,
Il tient des rendez-vous avec un million d'années.

L'instant rit avec moi, et nous le laissons partir,
Penchés contre son reflux d'or.

Penché contre le reflux d'or,
En arrière j'ai vu les oiseaux commencer à monter,
Leurs corps clairs comme grêle, et s'écouler les
     ombres,
Fixées en un doux ménisque, hors du Temps.

Hors du torrent, comme une terre plus ténue
Courbée dans le fantomatique objectif d'une bulle,

The lighted beach, the sharp and china sand,
Glitters and waters and peninsula —

The moment's world, it was ; and I was part,
Fleshless and ageless, changeless and made free.
« Fool, would you leave this country ? » cried my heart,
But I was taken by the suck of sea.

The gulls go down, the body dies and rots,
And Time flows past them like a hundred yachts.

La plage illuminée, le sable mordant, de porcelaine,
Les scintillements les eaux la péninsule —

Tel était le monde de l'instant ; et j'en faisais partie,
Sans chair et sans âge, inaltérable, libéré.
« Serais-tu assez fou pour quitter ce pays ? » cria mon
      cœur,
Mais j'étais entraîné par l'aspiration de la mer.

Les mouettes descendent, le corps meurt et pourrit,
Et par-dessus eux le temps coule comme cent navires.

LAST TRAMS

I

That street washed with violet
Writes like a tablet
Of living here ; that pavement
Is the metal embodiment
Of living here ; those terraces
Filled with dumb presences
Lobbed over mattresses,
Lusts and repentances,
Ardours and solaces,
Passions and hatreds
And love in brass bedsteads...
Lost now in emptiness
Deep now in darkness
Nothing but nakedness,
Rails like a ribbon
And sickness of carbon
Dying in distances.

DERNIERS TRAMS

I

Cette rue lavée de violet
Écrit comme sur une plaque
La vie d'ici ; ce trottoir
Est le symbole métallique
De la vie d'ici ; ces terrasses
Emplies de muettes présences
Étalées sur des matelas,
Désirs et repentirs,
Ardeurs et haines
Et amour sur lits de cuivre...
Perdus là dans le néant
Là au creux des ténèbres
Simple nudité,
Des rails comme un ruban
Et douleur de carbone
Mourant dans le lointain.

Then, from the skeletons of trams,
Gazing at lighted rooms, you'll find
The black and Röntgen diagrams
Of window-plants across the blind

That print their knuckleduster sticks,
Their buds of gum, against the light
Like negatives of candlesticks
Whose wicks are lit by fluorite ;

And shapes look out, or bodies pass,
Between the darkness and the flare,
Between the curtain and the glass,
Of men and women moving there.

So through the moment's needle-eye,
Like phantoms in the window-chink,
Their faces brush you as they fly,
Fixed in the shutters of a blink ;

But whose they are, intent on what,
Who knows ? They rattle into void,
Stars of a film without a plot,
Snippings of idiot celluloid.

Alors, observant les chambres illuminées
Depuis les squelettes des trams, vous verrez
Les diagrammes noirs et transparents
Des plantes de balcon au travers des persiennes

Projetant les vertèbres de leurs troncs,
Leurs bourgeons de résine, en contre-jour
Comme le spectre des chandelles
Aux mèches allumées de fluor ;

Et des silhouettes se penchent, des corps passent,
Entre flamboiement et obscurité,
Entre vitre et rideau,
D'hommes et de femmes qui s'y déplacent.

Ainsi par le chas d'aiguille de l'instant,
Tels des fantômes entr'aperçus par la fenêtre,
Leurs visages vous frôlent dans leur fuite,
Fixés dans les volets d'un battement de paupière ;

Qui sont-ils ? A quoi songent-ils ?
Cela, nul ne le sait. Ils s'agitent dans le néant,
Héros de films sans intrigue,
Morceaux de celluloïde imbécile.

FIVE BELLS

Time that is moved by little fidget wheels
Is not my Time, the flood that does not flow.
Between the double and the single bell
Of a ship's hour, between a round of bells
From the dark warship riding there below,
I have lived many lives, and this one life
Of Joe, long dead, who lives between five bells.

Deep and dissolving verticals of light
Ferry the falls of moonshine down. Five bells
Coldly rung out in a machine's voice. Night and water
Pour to one rip of darkness, the Harbour floats
In air, the Cross hangs upside-down in water.

Why do I think of you, dead man, why thieve
These profitless lodgings from the flukes of thought
Anchored in Time ? You have gone from earth,
Gone even from the meaning of a name ;
Yet something's there, yet something forms its lips
And hits and cries against the ports of space,
Beating their sides to make its fury heard.

CINQ CLOCHES

Le Temps qui frétille dans de petits rouages
N'est pas mon Temps, flot qui ne coule pas.
Entre le son d'une cloche et son écho
Au carillon du navire, au creux d'une volée de cloches
Sonnant sur le sombre cargo qui s'éloigne là-bas,
J'ai vécu bien des vies ; voici celle de Joe,
Mort il y a des années : elle dure cinq coups de cloche.

De profondes et poreuses verticales de lumière
Font descendre le clair de lune. Cinq cloches
Ont froidement lancé leur appel métallique. La nuit et
     l'eau
Se coulent dans une déchirure faite à l'obscurité, le
     Port flotte
Dans l'air, la Croix du Sud se balance à l'envers dans
     l'eau.

Pourquoi me hantes-tu, vieille ombre, à quoi bon
     dérober
D'inutiles dépôts sur l'ancre des souvenirs,
Enfouie dans le Temps ? Tu as quitté le monde,
Tu as perdu jusqu'au sens de ton nom ; et pourtant
Il reste quelque chose, quelque chose pourtant ouvre
     les lèvres,
Et frappe et maudit tous les ports de la terre,
Battant leurs flancs pour faire entendre sa fureur.

Are you shouting at me, dead man, squeezing your face
In agonies of speech on speechless panes ?
Cry louder, beat the windows, bawl your name !

But I hear nothing, nothing... only bells,
Five bells, the bumpkin calculus of Time.
Your echoes die, your voice is dowsed by Life,
There's not a mouth can fly the pygmy strait —
Nothing except the memory of some bones
Long shoved away, and sucked away, in mud ;
And unimportant things you might have done,
Or once I thought you did ; but you forgot,
And all have now forgotten — looks and words
And slops of beer ; your coat with buttons off,
Your gaunt chin and pricked eye, and raging tales
Of Irish kings and English perfidy,
And dirtier perfidy of publicans
Groaning to God from Darlinghurst.

Five bells

Then I saw the road, I heard the thunder
Tumble, and felt the talons of the rain
The night we came to Moorebank in slab-dark,
So dark you bore no body, had no face,
But a sheer voice that rattled out of air
(As now you'd cry if I could break the glass),
A voice that spoke beside me in the bush,

Ces cris sont-ils pour moi, vieille ombre, qui écrases
     ton visage
Dans la douleur de parler contre des carreaux muets ?
Crie donc plus fort, brise les vitres, hurle ton nom !

Mais je n'entends rien, rien... seulement des cloches,
Cinq cloches découpant lourdement le Temps.
Tes échos se meurent, ta voix se perd dans la Vie,
Nulle bouche ne vient plus grimacer ton malheur —
Rien, sinon le souvenir de quelques os
Depuis longtemps jetés et engloutis dans la vase ;
Et des choses sans importance que tu aurais pu faire,
Ou du moins l'ai-je cru ; mais tu as oublié,
Et tous à présent ont oublié — les regards, les paroles,
La bière frelatée ; les boutons décousus de ta pèlerine,
Ton menton décharné, ton œil en alerte, la fureur de
     tes contes.
Et la perfidie plus vile encore des aubergistes
Qui depuis Darlinghurst priaient à Dieu.

Cinq cloches

Alors je vis la route, j'entendis le tonnerre
S'abattre, et je sentis les griffes de la pluie
Cette nuit où nous avons abordé Moorebank, dans une
     obscurité
Si profonde que tu n'avais plus corps ni visage,
Simplement ta voix diaphane que l'air faisait vibrer
(Ainsi vibreraient tes cris si je pouvais briser la vitre),
Une voix qui, tout près de moi dans la brousse, parlait,

Loud for a breath or bitten off by wind,
Of Milton, melons, and the Rights of Man,
And blowing flutes, and how Tahitian girls
Are brown and angry-tongued, and Sydney girls
Are white and angry-tongued, or so you'd found.
But all I heard was words that didn't join
So Milton became melons, melons girls,
And fifty mouths, it seemed, were out that night,
And in each tree an Ear was bending down,
Or something had just run, gone behind grass,
When, blank and bone-white, like a maniac's thought,
The naphta-flash of lightning slit the sky,
Knifing the dark with deathly photographs.
There's not so many with so poor a purse
Or fierce a need, must fare by night like that,
Five miles in darkness on a country track,
But when you do, that's what you think.

Five Bells

In Melbourne, your appetite had gone,
Your angers too ; they had been leeched away
By the soft archery of summer rains
And the sponge-paws of wetness, the slow damp
That stuck the leaves of living, snailed the mind,
And showed your bones, that had been sharp with rage,
The sodden ecstasies of rectitude.
I thought of what you'd written in faint ink,

Hoquetante ou bien arrachée par le vent,
De Milton, de melons, et des Droits de l'Homme,
Et du souffle des flûtes, et me disait que les filles de
     Tahiti
Sont brunes et coléreuses, que les filles de Sidney
Sont blanches et coléreuses, du moins le pensais-tu.
Mais moi, je n'entendais que des mots épars :
Milton devenait melons, les melons devenaient filles,
Et il semblait que cent bouches me parlaient ce soir-là,
Que depuis chaque arbre se tendait une Oreille,
Qu'une présence venait de s'enfuir, de se cacher dans
     l'herbe,
Lorsque, vide et blême comme la pensée d'un fou,
Un éclair de naphte déchira brusquement le ciel,
Lacérant l'obscurité en instantanés de mort.
Ils sont rares — eussent-ils la bourse vide
Et le désir ardent — les hommes qui vont ainsi la nuit,
Cinq miles dans l'obscurité d'un sentier de campagne,
Mais voici quelles sont leurs pensées.

Cinq cloches

A Melbourne ton appétit, tes colères
S'étaient évanouis, dissipés
Sous les douces flèches des pluies de l'été
Et les doigts moussus de l'humidité ; une moiteur
     languissante,
Collant aux feuilles de la vie, engluait ton esprit
Et montrait à tes os affinés par la rage
Les pâteuses extases de l'innocence.
Je songeais à l'encre pâle sur les pages

Your journal with the sawn-off lock, that stayed behind
With other things you left, all without use,
All without meaning now, except a sign
That someone had been living who now was dead :
« At Labassa. Room 6 × 8
On top of the tower ; because of this, very dark
And cold in winter. Everything has been stowed
Into this room — 500 books all shapes
And colours, dealt across the floor
And over sills and on the laps of chairs ;
Guns, photoes of many differant things
And differant curioes that I obtained... »

In Sydney, by the spent aquarium-flare
Of penny gaslight on pink wallpaper,
We argued about blowing up the world,
But you were living backward, so each night
You crept a moment closer to the breast,
And they were living, all of them, those frames
And shapes of flesh that had perplexed your youth,
And most your father, the old man gone blind,
With fingers always round a fiddle's neck,
That graveyard mason whose fair monuments
And tablets cut with dreams of piety
Rest on the bosoms of a thousand men
Staked bone by bone, in quiet astonishment
At cargoes they had never thought to bear,
These funeral-cakes of sweet and sculptured stone.

Where have you gone ? The tide is over you,
The turn of midnight water's over you,

De ton journal décacheté, que tu laissais après toi
Avec d'autres affaires, toutes inutiles,
Toutes dépourvues de sens à présent — sinon pour dire
Qu'un homme s'était tenu là, qui était mort à présent.
« Labassa. Chambre 6 × 8
Au sommet de la tour ; pour cette raison, très sombre
Et froid l'hiver. Tout est bien ordoné
Dans cette chambre — 500 livres de toutes tailles
Et toutes couleurs, répartis à même le plancher,
Sur des tablettes, ou sur la housse des chaises ;
Fusils, photos de divairs objets
Et divairs bibelos que j'ai achetés... »

A Sidney, dans l'expirant flamboiement d'aquarium
D'une lumière à deux sous sur le papier peint rose,
Tu m'as soutenu qu'il fallait faire sauter la planète,
Mais tu vivais à reculons, si bien que chaque nuit
Te rapprochait davantage du sein,
Et puis, toutes ces silhouettes qui prenaient vie,
Ces formes de chair qui avaient troublé ta jeunesse,
Ton père par-dessus tout, le vieil homme aveuglé
Qui tenait toujours son violon à la main,
Ce maçon de cimetière dont les clairs monuments,
Les plaques façonnées en piété illusoire
Gisent sur cent poitrines, sur des hommes
Dont chaque os soutient, calmement étonné,
Un fardeau jamais imaginé,
Un gâteau funéraire en douce pierre sculptée.

Où donc es-tu parti ? La mer t'a recouvert,
La marée de minuit t'a recouvert

As Time is over you, and mystery,
And memory, the flood that does not flow.
You have no suburb, like those easier dead
In private berths of dissolution laid —
The tide goes over, the waves ride over you
And let their shadows down like shining hair,
But they are Water ; and the sea-pinks bend
Like lilies in your teeth, but they are Weed ;
And you are only part of an Idea.
I felt the wet push its black thumb-balls in,
The night you died, I felt your eardrums crack,
And the short agony, the longer dream,
The Nothing that was neither long nor short ;
But I was bound, and could not go that way,
But I was blind, and could not feel your hand.
If I could find an answer, could only find
Your meaning, or could say why you were here
Who now are gone, what purpose gave you breath
Or seized it back, might I not hear your voice ?

I looked out of my window in the dark
At waves with diamond quills and combs of light
That arched their mackerel-backs and smacked the sand
In the moon's drench, that straight enormous glaze,
And ships far off asleep, and Harbour-buoys

Comme t'ont recouvert le Temps, et le mystère,
Et la mémoire, flot qui ne coule pas.
Tu n'as pas même les doux faubourgs de ces morts-là
Qui se dissolvent dans un linceul —
La marée te recouvre, les vagues vont par-dessus toi
Abandonnant leurs ombres d'or comme une chevelure,
Mais elles sont Eau ; les giroflées marines se penchent
Vers tes lèvres, comme des lys, mais elles sont Algues ;
Et toi, tu fais seulement partie d'une Idée.
La sombre humidité posait ses mains sur nous
Cette nuit où tu allais mourir ; j'ai senti éclater tes
    tympans
Et la brève agonie, le rêve plus long,
Et le Néant qui n'était long ni bref ;
Mais j'étais enchaîné, et je n'ai pu te suivre,
Mais j'étais aveugle, et je n'ai pas senti ta main.
Si je pouvais trouver une réponse, trouver
Ne fût-ce que ton sens, dire la raison de ta présence ici
Et maintenant de ton absence, dire ce qui t'a donné
    souffle
Ou qui te l'a repris, ne pourrais-je pas, alors, entendre
    ta voix ?

J'ai regardé par ma fenêtre, la nuit,
Les vagues aux crêtes lumineuses, parsemées de
    diamants,
Courber l'écaille de leur dos pour venir gifler le sable,
Sous la lumière verticale d'une éclatante averse de
    lune,
Des vaisseaux sommeiller au loin, et les bouées du Port
Ballotter lourdement leurs globes de lumière,

Tossing their fireballs wearily each to each,
And tried to hear your voice, but all I heard
Was a boat's whistle, and the scraping squeal
Of seabirds' voices far away, and bells,
Five bells. Five bells coldly ringing out.

Five bells

Et j'ai bien essayé d'entendre ta voix, mais il n'y avait
    plus
Que le sifflement d'un navire, le cri grinçant
D'oiseaux dans le lointain, et puis des cloches,
Cinq cloches. Cinq cloches qui lançaient froidement
    leur appel.

Cinq cloches

BEACH BURIAL

Softly and humbly to the Gulf of Arabs
The convoys of dead sailors come ;
At night they sway and wander in the waters far under,
But morning rolls them in the foam.

Between the sob and clubbing of the gunfire
Someone, it seems, has time for this,
To pluck them from the shallows and bury them in burrows
And tread the sand upon their nakedness ;

And each cross, the driven stake of tidewood,
Bears the last signature of men,
Written with such perplexity, with such bewildered pity,
The words choke as they begin —

« Unknown seaman » — the ghostly pencil
Wavers and fades, the purple drips,
The breath of the wet season has washed their inscriptions
As blue as drowned men's lips,

Dead seamen, gone in search of the same landfall,
Whether as enemies they fought,
Or fought with us, or neither ; the sand joins them
together,
Enlisted on the other front.

El Alamein.

MISE EN SABLE

Doucement, humblement, vers le golfe Arabique
S'avancent les convois des marins morts ;
La nuit, ils errent ballottés au plus profond des eaux,
Mais le matin les roule dans l'écume.

Parmi les sanglots et la cohue des canons
Quelqu'un, semble-t-il, trouve du temps pour cela :
Les tirer des bas-fonds, les coucher dans des terriers
Et tasser le sable sur leur nudité ;

Et chaque croix plantée, poteau ramassé sur la grève,
Porte l'ultime signature des hommes,
Écrite avec tant d'embarras, tant de pitié fiévreuse
Que les mots suffoquent à ce qu'ils disent —

« *Marin inconnu* » — le fantomatique crayon
Vacille et s'efface, la pourpre pleure,
L'haleine de la saison des pluies a délavé les
    inscriptions
Bleuies comme les lèvres des noyés,

Les marins morts, partis en quête d'un même
    atterrissage,
Qu'ils aient combattu en ennemis, ou bien à nos côtés,
Ou n'aient pas combattu ; le sable les rassemble,
Les enrôlant sur l'autre front.

El Alamein.

119

KENNETH SLESSOR

1901 : Kenneth Shloesser naît le 27 mars à Orange en Nouvelles Galles du Sud, il est le premier enfant de Robert Shloesser et de Margaret McInnes.

1903 : la famille Shloesser quitte Orange pour Saint Kilda puis Kogarah.

1911 : les Shloesser et leurs trois enfants s'installent à Chatswood, dans la grande banlieue de Sydney.

1914 : en raison de l'anti-germanisme féroce qui règne en Australie, Robert Shloesser change son nom en Slessor.

1917 : premier poème de Kenneth Slessor publié par *The Bulletin*.

1918 : Kenneth Slessor remporte le prix de poésie de la Victoria League de Londres avec *Jerusalem set free*.

1920 : Slessor entre comme journaliste dans le grand quotidien du soir de Sydney : *Sun*.

1922 : épouse Noela Senior.

1923 : Slessor fait la connaissance du graveur et écrivain néo-celtique Norman Lindsay, devient l'un des plus proches amis de ses trois fils et s'engage avec eux dans la revue *Vision*. Il est l'un des maîtres d'œuvre de l'anthologie de jeune poésie australienne *Poetry in Australia* qui est publiée sous l'égide de la revue.

1924 : parution de *Thief of the Moon (Voleur de lune)*.

1925 : Slessor quitte Sydney pour Melbourne et entre comme rédacteur en chef au *Melbourne Punch*.

1926 : il revient à Sydney et réintègre l'équipe du *Sun*, publie *Earth Visitors (Visiteurs de la terre)*.

1927 : il élit domicile à Kings Cross ; il change souvent d'appartement mais restera dans ce quartier jusqu'en 1939 et rentre dans l'équipe de l'hebdomadaire *Smith Weekly*.

1931 : *Cinq visions du Capitaine Cook* paraît dans *Trio*, recueil collectif de Slessor, Harley Mathews et Colin Simpson.

1932 : *Cuckooz Contrey*, illustré d'eaux fortes de Norman Lindsay.

1933 : il réunit ses observations poético-humoristiques consacrées à Sydney sous le titre de *Darlinghurst Nights and Morning Glories (Nuits et Gloires matinales sur Darlinghurst).*

1939 : *Cinq cloches.*

1940 : devient correspondant de guerre officiel du Commonwealth. Il n'écrit pratiquement plus sauf *Mise en Sable (Beach Burial)* en 1943.

1944 : à la suite d'un différend avec les autorités militaires, il démissionne de sa fonction et revient au *Sun* où il est responsable de la section littéraire et de l'éditorial.

1945 : mort de sa femme Noela. Il établit sous le titre de *Australian Poetry* l'anthologie annuelle de poésie publiée par l'éditeur *Angus & Robertson.*

1951 : épouse Pauline Wallace.

1952 : naissance de son fils Paul.

1956 : devient directeur de l'importante revue littéraire *Southerly*. A partir de cette date, il est aussi président du Club des journalistes de Sydney.

1957 : quitte le *Sun* pour le *Daily Telegraph.*

1958 : devient membre du comité consultatif du Conseil Fédéral des Lettres et rassemble, en compagnie de John Thompson et R.G. Howard, sa troisième anthologie de poésie australienne : *The Penguin Book of Australian Verse.*

1961 : accablé de travail, il quitte la direction de *Southerly*.

1962 : divorce d'avec Pauline Wallace. Revient habiter Chatswood et la maison paternelle dont il a hérité en compagnie de son fils Paul.

1965 : quitte la présidence du Club des Journalistes de Sydney.

1968 : accepte, non sans hésitations, en raison de sa pénible expérience de la censure pendant la guerre, de siéger au Comité fédéral de censure littéraire.

1970 : paraît une sélection de souvenirs et d'écrits critiques : *Bread and Wine.*

1971 : meurt le 30 juin d'un infarctus.

ORIENTATION BIBLIOGRAPHIQUE

1. ŒUVRES DE KENNETH SLESSOR

1923 : *Poetry in Australia* (anthologie).
1924 : *Thief of the Moon (Voleur de lune)*, Sydney, J.T. Kirtley.
1926 : *Earth Visitors (Visiteurs de la terre)*, Londres, Fanfrolico Press.
1931 : *Trio* (en collaboration avec Harley Mathews & Colin Simpson), Sydney, Sunnybook Press.
1932 : *Cuckooz Contrey*, Sydney, Franck Johnson.
1933 : *Darlinghurst Nights and Morning Glories*, Sydney, Frank Johnson.
1939 : *Five Bells (Cinq cloches)*, Sydney, Frank Johnson.
1944 : *One Hundred Poems 1919-1939*, Sydney, Angus & Robertson.
1945 : *Australian Poetry*, Sydney, Angus & Robertson (anthologie).
1957 : *Poems*, Sydney, Angus & Robertson.
1958 : *The Penguin Book of Australian Poetry*, Melbourne, Penguin Books (anthologie).
1970 : *Bread and Wine (Selected Prose)*, Sydney, Angus & Robertson.
1972 : *Selected Poems*, Sydney, Angus & Robertson.

2. OUVRAGES CRITIQUES ET BIOGRAPHIQUES PARTIELLE-MENT OU ENTIÈREMENT CONSACRÉS À KENNETH SLESSOR

Kenneth Slessor, *Australian Literature studies*, vol.5, n° 2, numéro spécial d'hommage, 1971-1972 (comprend notamment des articles de Julian Croft et John Docker).

Herbert, C. Jaffa, *Kenneth Slessor*, New York, Twayne, 1971.

Southerly, n° 4, 1971, numéro spécial d'hommage à Kenneth Slessor où l'on trouve des articles de Julian Croft, Clement Semmler, Vivian Smith et L.T. Sturm.

Douglas Stewart, *A Man of Sydney (An Appreciation of Kenneth Slessor)*, Melbourne, Thomas Nelson, 1977.

A.K. Thomson (coordonnateur), *Critical Essay on Kenneth Slessor*, Brisbane Jacaranda Press, 1968. Comprend des articles de Richard Adlington, A.D. Hope, R.G. Howarth, Norman et Jack Lindsay, Hugh McRae, A.C.W. Mitchell, T. Inglis Moore...

TABLE